LAS FIDELIDADES

Diane Brasseur

LAS FIDELIDADES

Traducción del francés de
Mercedes Abad

Título original: *Les fidélités*

Ilustración de la cubierta: © *François Roca*

Copyright © Allary Éditions, 2014
Publicado por acuerdo con 2Seas Literary Agency y SalmaiaLit
Copyright de la edición en castellano © Ediciones Salamandra, 2015

Publicaciones y Ediciones Salamandra, S.A.
Almogàvers, 56, 7º 2ª - 08018 Barcelona - Tel. 93 215 11 99
www.salamandra.info

ISBN: 978-84-9838-712-4
Depósito legal: B-22.161-2015

1ª edición, septiembre de 2015
Printed in Spain

Impresión: Romanyà-Valls, Pl. Verdaguer, 1
Capellades, Barcelona

LAS FIDELIDADES

No quiero envejecer.

No quiero que me aparezcan manchas marrones en las manos, no quiero moquear sin darme cuenta, no quiero pedir a mi interlocutor que repita lo que acaba de decir mientras ahueco la mano detrás de la oreja a modo de trompetilla. No quiero olvidar el nombre de una ciudad donde he estado, no quiero tener menos erecciones, no quiero que me cedan el asiento en el autobús aunque yo lo haga y aunque le diga a mi hija que lo haga. No quiero afrontar la muerte con serenidad.

Tengo cincuenta y cuatro años y, desde hace uno, engaño a mi mujer con otra, una mujer más joven que yo, una mujer que tiene veintitrés años menos que yo.

Querría que estuvieran equivocados los que piensan: «¿Y qué? Son cosas que pasan después de diecinueve años de matrimonio.»

Los que sienten empatía conmigo porque ya han pasado por la misma situación, los que buscan una explicación psicológica.

Querría impedirles hacer el cálculo: «¿Qué edad tendrás cuando ella tenga treinta y siete?»

Querría que estuvieran equivocados los que detienen demasiado su mirada en nosotros en la calle, en el parque, en el restaurante.

Los que me dirigen una sonrisa cómplice y viril, como si fuera al volante de un buen coche. No me sorprendería recibir una palmadita amistosa en la espalda cualquier día de éstos.

¿Cómo es la amante de un hombre casado?

Es hermosa, es joven, es un poquito vulgar.

Posee un apetito sexual insaciable.

Es frágil y no confía en sí misma.

No se compromete, le conviene estar con un hombre casado.

Ahora tengo un radar y, en medio de las conversaciones, en los cafés o en el transcurso de una cena, oigo todo lo que yo mismo habría podido decir tiempo atrás.

Se ha convertido en una obsesión, todas las parejas que veo son ilícitas. Si veo a un hombre besar apasionadamente a una mujer en un avión, pienso: «No es tu mujer.» Observo a las parejas abrazarse, bien avanzada la noche, en el andén del metro. «Esos dos llevan ya demasiado rato el uno en brazos del otro como para no estar viviendo algo prohibido.»

Me imagino a sus respectivos cónyuges.

• • •

No me gusta la palabra «amante».[1] La asocio a la voz de pito de mis compañeros de clase en la escuela primaria.

Tengo una «amante», tengo un «lío». Soy «infiel».
Me lo repito mentalmente varias veces al día para convencerme. Es como si mis pensamientos fueran de otro hombre.

---

1. En francés, *maitresse* significa tanto «amante» como «maestra». *(N. de la t.)*

Cuando por la mañana me despierto junto a ella, lo primero que veo, sobresaliendo del edredón de color crudo, es su hombro, que asciende al ritmo de su respiración. Sigo su brazo con la mirada, el codo, el antebrazo cubierto de un fino vello rubio, la muñeca, las venas azules que surcan su mano, los dedos apoyados en el colchón.

Me aprieto contra ella, su cuerpo está caliente. Siento su espalda contra mi vientre, busco su nuca, sus cabellos me hacen cosquillas.

Oigo su respiración en el algodón de la almohada y me gusta, me gusta despertarme junto a ella y su olor.

Tengo una erección.

Reconozco el olor de Alix, es una mezcla de su olor y mi deseo.

Cuando me encuentro con ella después de varios días sin vernos, lo que más me sorprende es su olor y cómo he podido vivir sin él.

He olido su cuerpo, desde los dedos de los pies hasta la raíz de los cabellos, sin dejarme ni un trozo de piel.

A veces, a lo largo del día y sin previo aviso, en un restaurante o en el trabajo, en un ascensor e incluso en Marsella, una bocanada de Alix me estalla en plena cara. Su olor me envuelve y me hace feliz porque no es un recuerdo. Puedo tocarla y cogerla entre mis brazos.

Ya he hundido la cara en uno de sus vestidos camiseros, como una jovencita ingenua y novelesca.

También he pensado en robarle una camiseta de la cesta de la ropa sucia.

Si no lo he hecho es porque, en mis circunstancias, incluso una camiseta blanca sería una complicación.

Con Alix todas las sensaciones son nuevas y familiares a la vez.

No tardé en identificar los síntomas, con regocijo: miedo, dolor de barriga, pérdida de apetito, euforia.

Camino por la calle y me parece que lo hago al ralentí, pierdo la concentración fácilmente.

En el metro, todo el mundo me parece guapo. Cualquier cosa es capaz de emocionarme, incluso esa publicidad de Air France que ponen en el cine y en la que una mujer da vueltas, con los brazos enlazados en torno al cuello de un hombre, al compás de un aria de ópera.

He vuelto a correr por las mañanas escuchando música, y mientras corro hago un sinfín de planes, para ese día o para el futuro, y cultivo fantasías cuyo héroe soy yo.

Alix es joven y sus pechos son jóvenes y sus pezones, pequeños, y sus nalgas son jóvenes y su piel es blanca, tan blanca que a veces tengo la tonta impresión de ser el primero en tocarla, y su sexo es joven, y la piel de su sexo, fina, y su vientre es joven y su cuello es joven y sus muslos son firmes y sus rodillas lisas y todo es suave, todo, ¿tan sorprendente es desear ese cuerpo joven?

Me gusta la mancha marrón de café de su colmillo, que se rasca por la mañana pero que reaparece por la noche, y la vena azul como un collar a lo largo de sus omóplatos.

Le digo: «Me gusta tu cuerpo», porque no tengo derecho a decirle otra cosa.

Entonces repito: «Tengo ganas de ti.»

Por la mañana es cuando soy más valiente. Las buenas decisiones las tomo siempre por la mañana, pocos minutos después de que suene el despertador.

Me he levantado con sabor a ajo en la boca y los ojos secos. Muy lentamente, para no despertar a mi mujer, he salido de nuestra habitación.

Me he preparado un café y he entrado en mi despacho como algunos entran en una iglesia, para tomar una decisión.

Sentado en una silla, clavo la mirada en los puntitos de luz amarilla que dejan pasar las persianas. Fuera, las farolas chispean y ya oigo algunos coches.

A su paso, los reflejos de los faros prestan a las paredes un color inquietante.

En la mesa que tengo delante hay un libro de geografía abierto. Aquí hace los deberes mi hija cuando yo no estoy. Le gusta echarse sobre los hombros mi grueso jersey gris, que está tirado en el sofá. Tiene un agujero en el codo y no lo he lavado desde hace tiempo.

«El despacho» era para que yo pasara más tiempo en Marsella. Cuando compramos la casa, mi mujer primero pensó en convertir este cuarto en una sala de juegos.

La idea de un despacho se me ocurrió a mí, pensando que podría trabajar aquí un día a la semana, el lunes, por ejemplo.

En verano es el cuarto más fresco, de modo que duermo la siesta en el sofá. Si tengo ganas de aislarme, vengo a ver una película en mi ordenador.

De vez en cuando, fumo un cigarrillo en el balcón, pero me he dejado el paquete abajo en el salón, sobre la biblioteca, al lado de mi teléfono móvil.

Debo telefonear a Alix, se lo prometí. Aún no sé lo que voy a decirle, pero tengo ganas de oír su voz aunque esté triste y enfadada conmigo.

Nos marchamos a mediodía.

Vamos a celebrar la Navidad y la Nochevieja con la familia en Nueva York, según tenemos previsto desde hace varios meses.

• • •

Detesto perderme.

Yendo en coche, no me gusta conducir sin saber adónde voy. Prefiero pararme a consultar un mapa o preguntar la dirección a alguien y hacerle repetir las indicaciones hasta estar seguro de la ruta que debo seguir.

Avanzar por el camino correcto y tomar las decisiones acertadas.

Adoptar una decisión y atenerse a ella.

¿Cuánto tiempo me queda antes de que se levanten mi mujer y mi hija?

Querría estar ya en Nueva York y contemplar la vista desde nuestra habitación del hotel.

No tener que soportar las colas en el aeropuerto, la bandeja de la comida y la aduana.

La diferencia horaria.

Me imagino allí, en el bar del hotel, en un butacón de cuero, junto al fuego de la chimenea, mientras el camarero toma el pedido con el entusiasmo de un amigo, o bien caminando por la nieve en Central Park al final de la tarde, cuando la luz declina, el frío azota las mejillas, abre el apetito y pone de buen humor.

Debo levantarme y salir de mi despacho.

Una vez que me ponga en marcha, ya no me detendré. Y quizá en Nueva York no echaré en falta a Alix.

Eso es en cierto modo lo que secretamente espero. Podríamos tomar impulso como encima de un trampolín. Espaciar nuestros mensajes de texto y nuestros mails y telefonearnos menos. Yo me acostumbraría a no verla, ella también, y en realidad no resultará tan difícil.

En París, regresaré al hotel y la recepcionista se alegrará de verme, me daré un baño y llamaré al servicio de habitaciones. Cenaré con amigos a los que no he visto desde hace mucho tiempo, disfrutaremos de una estupenda velada, y nos preguntaremos por qué no lo hacemos más a menudo con todo el tiempo que paso en París. Les diré que vengan a visitarnos a Marsella y les enseñaré fotos de mi hija.

¿Y si en mi ausencia Alix conociera a alguien? Un hombre de treinta y cinco, cuarenta años, alguien que, tratándose de ella, seguro que valdrá la pena. O quizá un poco mayor, un hombre de cuarenta y cinco o cincuenta años, un hombre apenas más joven que yo pero que ya no se lleve bien con su mujer, que no vivan juntos, que sus hijos sean mayores, que vayan a la universidad y su mujer trabaje.

Estoy viéndolos caminar por la calle, con la mano de él sobre el hombro de Alix. Parece orgulloso de caminar junto a ella.

Es un hombre apuesto y sobre todo muy elegante. Lleva un traje gris, una camisa blanca sin corbata, un chaquetón negro y una bufanda negra alrededor del cuello.

Aunque hace frío no lleva guantes, y en el anular de su mano izquierda ya no hay alianza.

Ya sé que es el colmo, pero estoy celoso de ese hombre y querría pelearme con él. Agarrarlo por los pelos, y por su bufanda negra, y golpearle la cara contra un muro de piedra. Aplastarle la nariz de un puñetazo, sentir cómo se rompen sus huesos bajo mis falanges y, si me hago daño, tanto mejor.

Alix lo conocerá por el trabajo o en una cena en casa de amigos.

Él se sentará a un extremo de la mesa y no tardará en quedarse fascinado.

Entre conversaciones y copas de vino, cruzarán miradas y sonrisas. Al final de la velada, él le propondrá acompañarla a casa en taxi, aunque eso signifique dar un rodeo. Pedirá un coche, un Mercedes, en un número de teléfono especial pagado por su empresa, que llegará pocos minutos después de que haya colgado.

Todo es tan sencillo con él...

En los asientos traseros del taxi, por las calles de París iluminadas por las luces navideñas, la hará reír y pensará que la partida está ganada.

Esperará unos días antes de enviar un mail a su amigo común, el que organizó la cena en la que se conocieron, para pedirle el número de teléfono de Alix.

La invitará a un restaurante excelente y tendrá ganas de besarla durante toda la velada. No entenderá que una chica como ella aún esté soltera, a su edad. Sentirá incluso cierto recelo, se preguntará por qué otros hombres no han querido estar con ella y le hará muchas preguntas.

Ella no le hablará de mí, ni de mi complicada situación.

Al salir del restaurante, le propondrá «dar un paseo» y, como Alix aceptará, ambos sabrán que esa noche la pasarán juntos.

Esperará un poco antes de besarla, es tan agradable...

Mientras caminen en silencio bordeando el Sena, se le ocurrirán ideas disparatadas y se dirá: «Es ella la que no quería estar con nadie. ¡Me esperaba a mí!»

Cuando la bese, cerrará los ojos y pensará que el año empieza realmente bien, sin darse cuenta de que me lo debe en parte a mí.

No acostumbro a relacionar unos acontecimientos con otros.

Mi padre tuvo una recaída hace un año. Enseguida vino a instalarse con nosotros, a Marsella. Cuando no está en el hospital, duerme en la habitación de invitados, contigua a la nuestra. Hubo que comprar una cama adaptada y mi mujer se encargó de ello. Parece que a los repartidores les costó subirla al piso de arriba.

Mi padre se va a morir y no tiene ganas de morirse. Dice: «Querría que esto durase un poco más.»

Fue mi mujer quien propuso que mi padre se instalara en casa.

Cuando yo no estoy, es decir, del lunes por la noche al viernes por la noche y, desde hace algunos meses, los fines de semana en los que me las ingenio para quedarme con Alix en París, sé que mi padre cena a las siete con mi mujer y mi hija, sé que acompaña a mi mujer al mercado el miércoles por la mañana, sé que, si no hace mucho viento, se van a pasear por la tarde al malecón, sé que mi mujer recibe a la enfermera los lunes y los jueves y es ella quien va a la farmacia y me telefonea todas las noches para preguntarme qué tal me ha ido el día y contarme las novedades.

Antes de colgar, me envía un beso y yo uno a ella.

Mi historia con Alix y la enfermedad de mi padre ahora están unidas.

Cuando de niño me lastimaba o me sangraba la nariz, corría al cuarto de baño de mis padres para mirarme en el espejo de pie. Frente a mi reflejo, me sostenía la mirada tanto tiempo como podía mientras sangraba.

Hoy, cuando me encuentro con mi reflejo en el espejo del cuarto de baño al lavarme las manos, no me avergüenzo.

No me compadezco de mí mismo.

Al encender la lámpara de mi despacho, me ha sorprendido ver aparecer mi rostro en la puerta-ventana frente a mí.

No sabía que tenía bolsas en los ojos.

Parezco viejo y voy un poco encorvado.

Apago la luz. Prefiero la penumbra de la casa dormida.

Pienso en todo lo que ya no haré con Alix.

No verla más y no tocarla más, no volver a hacerla reír, ni volver a decirme: «Tengo que contárselo» o «Esto le gustará», no volver a mirar mi teléfono para ver si ha intentado llamarme o si me ha mandado un mensaje de texto o una foto, no volver a leer sus mails, que redacta como cartas, no volver a bajar en su estación de metro, no volver a escoger las películas que voy a ver sin ella en función de las películas que tengo ganas de ver con ella, no volver a contestar «Sí» a la voz femenina del contestador de los Taxis Azules que me propone su dirección de forma sistemática cuando reservo un coche.

Entonces veo todo el dolor, bastante lejos aún, a un centenar de metros, pero se me viene encima, como una ola, y agacho la cabeza y veo mi cuerpo y me digo que no hay bastante espacio, aunque mida un metro ochenta y dos y pese noventa kilos, no hay bastante espacio entre mis hombros para recibir esa ola.

No puedo dejar a Alix, no puedo decirle: «Se acabó», y no quiero que me lo diga ella a mí.

Ya he intentado imaginarme la escena y soy incapaz de llegar hasta el final. Por culpa de la ola y por culpa de las palabras. Las palabras que uno emplea para romper, bajando un poco la voz. Uno las busca y las escoge con cuidado para hacer el menor daño posible, y cuanto más envueltas están para atenuar los golpes, como un cristal embalado en papel burbuja, más hirientes son.

Me acuerdo de aquella chica, Annie, estuve muy enamorado de Annie.

Tuvimos un rollito en la facultad, breve. Una noche, en un bar, me dijo: «No voy a acompañarte más lejos», y como yo había bebido bastante y seguramente me lo esperaba, me dio la risa.

Mientras me hablaba, yo nos imaginaba a los dos en un autobús abarrotado y ella pulsando el botón rojo y diciéndome: «Me bajo en la próxima parada.» O a Annie y a mí en una carretera de montaña, cada uno con una mochila enorme de esas que venden en las tiendas de deporte, con correas ajustables que se abrochan a la cintura y, al llegar a un cruce, frente a unas flechas de madera, Annie diciéndome: «Voy a coger ese pequeño sendero de ahí.»

Nos había imaginado a los dos en un sinfín de situaciones en las que Annie habría podido pronunciar esas palabras torpes y crueles: «No voy a acompañarte más lejos.»

«¿No voy a acompañarte más lejos?» o «¿No voy a poder acompañarte más lejos?».

Ya no me acuerdo.

Cuando le anuncié a Alix que, en Navidad y Nochevieja, mi mujer, mi hija, mi padre y yo nos íbamos a Nueva York, al principio se contuvo, pero luego se echó a llorar.

Ya se acercaba la Navidad.

Las fiestas marcan hitos, como las decenas en los aniversarios.

Dado que no sabía cómo formularlo para entristecer a Alix lo menos posible, se lo dije enseguida al llegar a su casa.

Ese domingo por la tarde, el avión se había retrasado y llegué a su apartamento después de las ocho. Me quité el abrigo y encendí un cigarrillo, luego le lancé la información como quien tira un *frisbee*: «Para Navidad y Nochevieja, me marcho quince días con mi mujer y mi hija a Nueva York.»

Alix me preguntó: «¿Quién cuidará de tu padre?»

Se levantó para poner el agua de la pasta a calentar y le contesté que venía con nosotros. Se me hizo interminable, pensé que la cazuela nunca se llenaría.

Cuando vino a sentarse a mi lado, con dos copas de vino, estaba llorando.

La abracé estrechándola lo más fuerte que pude para consolarla y consolarme a mí.

Hicimos el amor sin cenar; me quedé mucho tiempo dentro de ella.

¿Olvida Alix que estoy casado cuando hacemos el amor? ¿En qué momento lo recuerda?

¿Por qué no me abandona cuando le comunico una noticia como la de Nueva York?

Quizá se ha marcado una fecha, un último plazo, como para entregar un trabajo. Quizá a principios del mes de enero. Entonces hará justo un año que estamos juntos.

Alix espera que este viaje a Nueva York sea un fiasco: no dejará de llover y me pelearé mucho con mi mujer. Lejos de ella, me daré cuenta de que no puedo vivir sin ella.

Si a principios del año que viene no ha cambiado nada, Alix me dará un ultimátum: «No podemos seguir así.» Por eso Alix no dice nada.

Ni una palabra sobre Nueva York, ni una palabra sobre mi matrimonio, ni una palabra sobre mi mujer, ni sobre mi padre, que vive conmigo.

Alix se lo toma con calma.

Por la noche, en la cocina, cuando todos duermen, me entreno. Sentado a la mesa delante de una copa de vino tinto, aparto los platos del desayuno e imagino a Alix frente a mí, en el sitio que ocupa mi hija durante las comidas.

Alix dice: «Lo siento.» Dice que ya no puede más, que si el tiempo pasa para mí, también pasa para ella. Repite: «Quiero construir algo», habla de planes de futuro, de los hijos que le gustaría tener conmigo, y generalmente es en ese momento cuando enciendo un cigarrillo.

Me dice que tiene miedo, me dice que la simple idea de que comparta la cama con otra mujer, aunque sólo sea once noches al mes, se le ha hecho insoportable, me dice que empieza a sentir rencor, y yo me siento con la espalda bien recta y saco pecho, como un hombre, y trato de responder: «Lo comprendo», porque lo comprendo, pero tengo la garganta atenazada y no me pasa el aire, ni la saliva, ni el humo del cigarrillo.

Entonces echo a Alix de mi cocina y espero que esta escena no tenga lugar, y quizá por eso la ensayo, porque nada ocurre nunca como uno lo había previsto, o bien lo hace más tarde, mucho más tarde.

Después de este tipo de sesiones, me quedo exhausto. Paso una bayeta por la mesa para limpiar la ceniza de cigarrillo caída al lado del cenicero, enjuago mi copa y subo a la habitación.

Mi mujer está en la cama, ha dejado encendida la luz de mi lado. Se da cuenta de que algo va mal, cree que tiene que ver con mi padre o tal vez lo sabe, lo ha comprendido todo.

Me acuesto de lado, en postura fetal. Le doy la espalda, apago la lámpara de la mesita de noche y, en la oscuridad, en la cama, mientras busca mi mano, mi mujer murmura: «Estoy aquí.»

Entonces aprieto la mano de mi mujer, muy fuerte.

No vamos con cuidado.

Una noche, Alix no sabe a qué hora va a volver, yo recojo las llaves en casa de una vecina y luego me las quedo, es más práctico, tengo mis propias llaves.

Doy de comer al gato, el gato me reclama su comida. Empiezo por comprar una botella de vino para el aperitivo y unos cuantos tomates, luego viene la temporada de los higos, y una noche me apetecen níscalos, me encanta la tortilla de níscalos, y ella no tiene mostaza a la antigua, ni mantequilla con sal, ni azúcar para el café de la mañana, así que le lleno la nevera.

Un día me dejo una camiseta, luego dos, ella las guarda en el armario, y una camisa blanca que lleva a la tintorería cerca de su casa. Decido pasar el fin de semana en París y, como no tengo bastante ropa interior para toda la semana, echo unos calzoncillos en el tambor, donde ya está su ropa, y, aunque me siento algo incómodo, la lavadora gira y nuestra ropa interior se lava a la vez. Pongo mi ordenador en la mesa de su cocina, anoto un número de teléfono o el número de referencia de un billete en un prospecto que está por allí encima. Leo *Le Monde* en su casa, dejo *Le Monde* en su casa y ella me pregunta si puede tirar *Le Monde*. En la bodega ya no compro una botella sino una caja de seis, coloco un pestillo en la puerta de su sótano, cambio la bombilla, monto una estantería para que pueda guardar el vino, compro algunas herramientas, encuentro un sitio para mis herramientas en su apartamento. Por la noche, bajo al sótano a buscar vino.

No vamos con cuidado. Siempre duermo en el mismo lado de la cama y empiezo a contraer ciertos hábitos, el sitio donde cuelgo mi abrigo, el sitio donde dejo la bolsa para toda la semana, el sitio donde me quito los zapatos. Al principio procuraba ocupar el menor espacio posible, pero ahora cada vez me expando más. Tengo mi propia toalla en el cuarto de baño, mi champú en la cabina de la ducha, un taburete para poner mi neceser, y de vez en cuando me dejo la espuma de afeitar en el estante de Alix. No voy con cuidado y, como cocino mejor que ella, preparo la cena, le pregunto qué copas prefiere para el blanco, en la mesa me cuenta qué tal le ha ido el día y gesticula cuando se embala. Bajo la basura, saludo a la portera, los vecinos me conocen y el bodeguero me invita a probar vino.

Tal vez deberíamos atiborrarnos de nuestra historia como dos bulímicos.

Follar hasta el hartazgo, estrecharla entre mis brazos con todas mis fuerzas, comer en el mismo plato y lamer los mismos cubiertos, decir todas las palabras de amor una detrás de otra, como se enciende un cigarrillo con el anterior, ducharnos juntos e intercambiarnos la ropa para saciarnos de una vez por todas.

En una ocasión, Alix se reunió conmigo en Barcelona, adonde yo había ido por motivos de trabajo y pude prolongar mi estancia.

Tuve que insistir varias veces antes de que accediera a ir, y no sé cuál de mis argumentos la hizo cambiar de opinión.

Aterrizó un viernes a última hora de la tarde y fui a buscarla al aeropuerto. Aún no nos conocíamos mucho.

Su avión llevaba retraso y me bebí dos cervezas, acodado a una mesa alta, mientras la esperaba. Escuchaba los anuncios en inglés y español, las salidas y las llegadas, el último aviso para los pasajeros con destino a no recuerdo ya qué ciudad, igual que leo el periódico por la mañana durante el desayuno, sin retener nada. Tenía miedo. Íbamos a pasar cinco días juntos, de principio a fin, sin separarnos, nunca habíamos tenido tanto tiempo por delante.

• • •

Alix fue uno de los últimos pasajeros en salir, llevaba sus enormes gafas de sol y estaba muy blanca.

Se abalanzó sobre mí.

Nos besamos largo rato en el vestíbulo de llegadas y me pregunté si percibía los latidos de mi corazón a través de su chaqueta de piel, debía de tener calor.

Volvimos a besarnos delante de la cinta transportadora mientras esperábamos su bolsa de viaje. Nos besábamos porque no sabíamos qué decirnos, nos sentíamos incómodos y felices.

Alix había facturado una bolsa roja enorme, más grande que las que yo cojo cuando paso quince días en París, y se negó a que se la llevara.

En el parking, abrió la enorme bolsa antes de meterla en el maletero. Pensé que iba a darme un regalo, pero sacó un par de sandalias azul marino. En el asiento del copiloto, mientras yo arrancaba, no se abrochó enseguida el cinturón. Se agachó para quitarse las Converse y los calcetines, tenía los pies arrugados como si saliera del baño. Alix se calzó las sandalias y la barrera del parking se levantó.

¡Cómo me gustan los aeropuertos!

Yo había alquilado un coche, un Golf, y enseguida le puse la mano en el muslo. Habría podido convertirse en una costumbre.

Mientras conducía hacia el hotel, Alix gesticulaba en el asiento del copiloto. Llevaba la ventanilla bajada y se le agitaba el cabello. Me dijo que en París hacía mal tiempo y que yo estaba bronceado, lo que era imposible porque, en toda la semana, casi no había tenido tiempo para poner un pie fuera.

En un semáforo en rojo, apoyó la cabeza en mi hombro justo cuando me volvía para besarla. Su cráneo me golpeó la barbilla, me hizo daño y seguro que a ella también. Pero ninguno de los dos dijo nada. Después yo no paraba de mirarme discretamente en el retrovisor para ver si la tenía roja o si me había partido el labio con los dientes.

Quería estar guapo para Alix.

Cuando el semáforo se puso verde, se me caló el coche y eso la hizo reír.

Eran las vacaciones de verano. Estábamos en el mes de abril, pero eran las vacaciones de verano: el color del cielo, el olor de la ciudad, los cabellos de Alix, sus gafas de sol colocadas sobre el salpicadero.

Estar en una ciudad extranjera y hablar una lengua que no era la nuestra nos volvió amnésicos. Nuestra complicada historia se había quedado en Francia. Alix y yo jugábamos a ser un matrimonio, como los niños que juegan a papás y mamás y se lo creen.

Al llegar al hotel, el empleado de recepción la llamó «señora».

Éramos «la señora y el señor» para todo el mundo, en el hotel, en la calle y en los bares, aunque no salimos demasiado. Una pareja de turistas franceses.

En Barcelona ya no engañaba a mi mujer. En Barcelona, estaba en Barcelona.

. . .

Remoloneábamos hasta tarde en la cama. Yo dormía hasta las once. No sabía que aún podía dormir hasta las once de la mañana.

Desayunábamos en la cama. Era Alix quien encargaba el desayuno.

Cuando nos íbamos a dormir, desplegaba el menú del servicio de habitaciones en mi vientre o en mi espalda. Leía en inglés los diferentes desayunos propuestos por el hotel porque en español no lo entendía todo.

Marcaba casillas.

Si lo hacía sobre mi espalda, se me ponía la carne de gallina, y si lo hacía en mi vientre, contraía los abdominales para que ella pudiera escribir. Apretaba tan fuerte que la punta del bolígrafo agujereaba la cartulina en algunos puntos y me hacía cosquillas en la barriga.

Alix escogía la franja horaria de las diez y media a las once para que nos sirvieran en la habitación. Añadía una observación para pedir un suplemento de miel cremosa en lugar de líquida que no consiguió ni una sola vez.

Por la mañana, en la penumbra, iba a abrir la puerta al camarero después de haberse puesto una bata. Nuestra habitación debía de oler a sexo.

Yo la oía firmar la cuenta y dar las gracias en voz baja.

Alix colocaba la bandeja sobre la cama procurando que no se cayera nada.

Al abrir los ojos, yo veía mi reflejo deformado en las campanas plateadas.

Tomar el desayuno en la cama no es nada práctico. No sabía cómo ponerme. Alix se sentaba con las piernas cruzadas sobre la colcha, con una rodilla asomando por la bata entreabierta. Apoyada en la cabecera de la cama, hojeaba *El País* sin entender gran cosa. Me preparaba una tostada. Yo encontraba ridículo sentarme con las piernas cruzadas, desnudo. No llevo bata. Nunca. Ni zapatillas. Duermo desnudo.

O voy desnudo o vestido.

Comía mi tostada medio tumbado y la miel me chorreaba por los dedos. No me atrevía a moverme ni a tirar de la sábana por miedo a derramar el zumo de naranja.

De todos modos, lo único que quería era beberme el café y hacer el amor.

Pero no hay que molestar a Alix mientras desayuna.

En Barcelona no me afeité.

Dejé marcas rojas en el cuerpo de Alix por culpa de mi barba. Lesiones minúsculas que parecían una ligera alergia.

Las tenía por todas partes, en el vientre, en los pechos, en los hombros y en el cuello, en la parte alta de los muslos y también en las mejillas.

Al acariciarla, me felicitaba por haber cubierto de besos todo su cuerpo, como esas personas que marcan con un círculo en un mapa del mundo las ciudades donde han estado.

Después, uno se olvida.

¿Hemos cambiado ya, Alix y yo, después de España? ¿Estoy menos pendiente de ella?

Beso su boca, sus pechos, su sexo y sus nalgas. ¿Me acuerdo de besar sus muñecas y los hoyuelos que tiene al final de la espalda?

¿Me entretengo menos besándola en el cuello?

¿Se habrá dado cuenta ella?

No dormimos abrazados, pero Alix siempre consigue mantener un contacto físico conmigo durante la noche.

Allí donde se tocan, nuestras pieles se humedecen.

¿Qué aspecto tendremos, Alix y yo, dentro de diecinueve años?

¿Qué edad tendré?

Fuimos a cenar a un restaurante fuera de Barcelona, en un pueblecito de pescadores. El dueño nos recibió y nos acomodó en una mesa junto al ventanal. Estábamos tan intimidados como pueden estarlo las parejas muy jóvenes en un restaurante. En cinco días, casi no habíamos salido de nuestra habitación.

Enseguida pedimos una botella de rosado para refrescarnos y tener algo que hacer con la boca y las manos.

Era la víspera de nuestra partida. Por una vez, no era el único que se marchaba. Alix y yo no estábamos tristes, sino sorprendidos por estar tan cerca.

Yo pedí pescado y ella sopa de pescado. El camarero se fue hacia la cocina y, por primera vez, hablamos de nosotros.

Alix empleó la palabra «relación» y me gustó que empleara esa palabra.

Dijo «nuestra relación», no dijo «nuestra aventura».

Le hablé de mí sin necesidad de que me hiciera preguntas. De mi matrimonio y de nuestra decisión de mudarnos a Marsella, cuatro años atrás, porque en París las cosas no nos iban bien.

Mi mujer es independiente, como yo. Le gusta estar sola.

En París, ya no soportaba no saber a qué hora regresaría yo por la noche. Nuestro apartamento estaba a varias estaciones de metro de mi oficina.

Pensamos en Marsella porque fue ahí donde nos conocimos.

Cuando no estoy, creo que mi mujer prefiere que esté lejos, en otra ciudad, a tres horas de TGV. Así no me echa tanto en falta.

No se me quebró la voz, pero estaba acalorado. Le hablé de mi padre. Me oí decir que, a causa de mi padre, todo podía ser más complicado. Como pronuncié las palabras «más complicado», Alix dedujo que algo era posible.

Si algo es «más complicado» es porque en cierto modo «es posible».

Nunca volví a hablar con Alix de esa forma. No me gusta hablar de mí. Después experimento una sensación desagradable, parecida a las náuseas del día siguiente a una cogorza.

Alix dijo que quería tener hijos como quien blande un escudo. Luego añadió: «Si tuviera menos de treinta años...», pero no acabó la frase.

Alix repitió: «Quiero tener hijos. —Y lo subrayó—: Y como tú no quieres...»

No pude ser categórico, no lo conseguí. No le dije claramente que ya no quería tener más hijos.

Dije: «No lo sé.»

Éramos los últimos clientes que quedaban en el comedor y, al irnos, el dueño nos estrechó la mano.

En el hotel, los dos nos tomamos una pastilla para la digestión en el vaso del cepillo de dientes, en la terraza de nuestra habitación, mientras contemplábamos el mar.

Regresamos al día siguiente, en silencio, Alix a París y yo a Marsella, con recuerdos compartidos.

Olvido lo que sucede en el otro extremo de mi vida sin olvidarlo.

Algunas noches, cuando estoy en París, de la misma forma que las picaduras de mosquito se despiertan y vuelven a picar, recuerdo que tengo una mujer y una hija.

Tumbado en el sofá, oigo a Alix en la habitación, está haciendo la cama, las sábanas de algodón restallan, huele a colada limpia y ella me dice que no, que no necesita ayuda. Fuera es de noche, la radio está sintonizada en France Inter y yo leo. Se oye la sintonía del informativo, son las ocho: echo en falta mi hogar.

Estoy en lo alto de un tobogán.

Echo en falta a mi mujer, echo en falta a mi hija, echo en falta mi casa, echo en falta los ruidos de mi casa, los escalones que crujen y el zumbido de la nevera, el televisor encendido en el salón. Me pregunto qué estarán haciendo, cuánto tardarán en sentarse a la mesa y qué habrá preparado mi mujer para cenar. Sé que, en la cocina, la radio estará sintonizada en France Inter y que seguramente el ruido del extractor impedirá oír la voz del locutor.

Tengo ganas de telefonear a casa ahora mismo para hablar con mi mujer.

Logro dominarme. Cinco minutos antes, todo iba bien. Vuelvo a sumergirme en mi libro, tratando de que Alix no se dé cuenta, pero no lo consigo. Ella viene a sentarse a mi lado: «¿Qué te pasa?» Me muestro evasivo porque no quiero herirla y suelto unas palabras al azar. Le contesto: «Toda esta situación.»

Alix me acaricia la frente. ¿Acaso lo comprende? Echo en falta a mi familia.

Alix sonríe, pero su mirada refleja la sombra que acabo de proyectar sobre nuestra velada. Sin embargo, su mano en mis cabellos me tranquiliza y vuelvo a mi lectura.

Se levanta y va hacia la cocina, pretende remontarnos la moral con una buena bandeja de aperitivo. Las copas tintinean cuando las saca de la alacena, pero tropieza con el cuenco del gato y lo vuelca.

Alix maldice y el agua se derrama por las baldosas grises.

En casa, no me tumbo en el sofá para leer, no me quedo en la cama remoloneando toda la mañana, no lo dejo todo a la hora del aperitivo para tomar una copa escuchando música. Pongo la mesa en la cocina, charlo con mi mujer mientras prepara la cena, siento deseos de apoyar la barbilla en su hombro, de rodearle la cintura con mis brazos y de estrechar su cuerpo contra el mío. Pero prefiero sentarme a contemplarla.

Se cierra la puerta de entrada y oigo los pasos de mi hija en el pasillo. Pregunta: «¿Qué vamos a comer?» mientras abre la nevera con un ruido de botellas y mi mujer se enfada porque no se ha quitado las botas de montar y seguro que ha dejado barro por todas partes. Me levanto para coger una cerveza de la nevera, que mi hija ha dejado mal cerrada, y mi padre aparece en la cocina, el ambiente es alegre, los cristales están empañados, huele a rica salsa de tomate y mi hija no para de quitarle la palabra a mi mujer. Le pregunto a ésta si quiere una cerveza, aunque sé que dirá que no, preferirá beber de mi vaso. Busco en varios cajones y encuentro el abridor, me doy la vuelta y ahí está Alix, en mi cocina, se ha invitado a mi casa.

Ya no somos cuatro en casa, somos cinco.

Hablo con Alix en mi cuarto de baño, hablo con ella cuando veo una película en mi ordenador, hablo con ella al bajar de mi coche, cuando recorro el camino de grava hasta la puerta de entrada, hablo con ella cuando fumo un cigarrillo, por la noche, solo, en mi terraza, y el mar está oscuro.

En casa de Alix no estoy en mi casa y, en mi casa, me convierto en un extraño. Mi casa funciona sin mí y los objetos cambian de sitio. Tengo que preguntarle a mi padre dónde ha guardado el mando del televisor.

En la mesa me cuesta seguir las conversaciones, los nombres cambian sin cesar, ya no distingo a los amigos de mi hija y, si le hago preguntas, se agobia.

Mi mujer me dice que es la edad.

Subo a acostarme, hay polvo en mi mesilla de noche y he perdido el punto de mi libro.

Alix me ha prestado una novela de 476 páginas publicada por Lattès de la que se ha hablado mucho en los medios.

Ella la leyó a mi lado, con sus gafas puestas y los pechos al aire. Por su manera de agarrarlo y de colocárselo muy cerca de la nariz, adiviné que el libro le gustaba. Con mi cabeza apoyada en su vientre, me leyó varios capítulos, y yo me adormecía mientras, con su mano libre, me acariciaba la nuca con la punta de las uñas.

Al regresar a Marsella, lo leí en tres días. De la cama al sofá, leí sin parar para seguir con Alix.

Al principio intenté leer con parsimonia para que ella me acompañase durante todas las vacaciones, pero, como ella, no conseguía soltar la novela. Además, racionarme me pareció una tontería, sencillamente podía releerla. La voz de Alix sonaba en mi cabeza y, cuando tropezaba con un capítulo que ella ya me había leído, podía sentir sus dedos en la nuca.

· · ·

El viernes, al final de la tarde, al regresar a casa con mi padre, me encontré a mi mujer en el salón, sentada en el sofá, con los pies descalzos cruzados sobre la mesa baja, leyendo el libro de Alix.

Debía de llevar un buen rato leyendo porque, al besarla en la frente, advertí que iba por la página 117.

Se me hizo raro ver las manos de mi mujer tocando ese libro.

¿Advirtió ella mi turbación?

Fui a colgar mi abrigo en la barandilla de la escalera antes de sentarme a su lado, en el sofá.

Encendí el televisor cuando ella pasaba una página.

¿Va a leer mi mujer en la cama antes de dormir? Podría escaparme al centro antes de la cena, comprar el mismo libro y dejarlo sobre su mesilla de noche para que, de la página 121 a la 476, todo quede entre Alix y yo.

Escogí un programa muy ruidoso en la primera cadena, donde la gente reía y aplaudía a menudo. Subí el volumen, pero eso no pareció molestar a mi mujer.

«Si dobla una página, la abofeteo», pensé.

Pregunté dónde estaba nuestra hija, pregunté a qué hora había previsto que cenáramos, pregunté si necesitaba ayuda y me puse a zapear.

Mi mujer me miraba por encima de la contraportada. Capituló, cerró el libro y, antes de dejarlo delante de mí en la mesa baja, me dijo: «Está francamente bien.»

Las mejillas de mi hija estaban enrojecidas aquella tarde, hacía frío. Pequeñas lágrimas le caían de la comisura de los ojos, como cuando se ríe. Con los guantes que yo le había prestado porque se había olvidado los suyos sus manos parecían las de Mickey.

Mi hija caminaba detrás de nosotros.

Me di la vuelta para enseñarle los parapentes, tan cercanos, casi habríamos podido preguntarles qué tal les iba allí arriba, pero mi hija no me escuchaba. Se había detenido y se había quitado uno de mis guantes para escribir un mensaje de texto.

Mi hija tiene catorce años y el parapente no le interesa mucho, es normal.

Le pregunté a mi mujer si se acordaba de cuando tenía catorce años. ¿Fumaba ya entonces? ¿Tenía noviete? ¿Se sentía ya adulta?

¿Qué hacía los domingos por la tarde?

Dentro de cuatro años nuestra hija será mayor de edad y me parece tan pequeña... Catorce años son pocos, pero yo la veo aún más joven.

Mi mujer me cogió del brazo. Pese al doble grosor del jersey y el abrigo, advertía las ligeras presiones de su mano en mi bíceps. Caminábamos en silencio a la orilla del mar, en las Goudes, y no tenía ganas de volar a París esa noche.

¿Qué hacen las dos cuando me marcho?

¿Acaba mi hija los deberes en el despacho mientras mi mujer lee frente a la chimenea? ¿Ven una película después de cenar, echadas en la cama, en nuestro dormitorio?

¿De qué hablan en la mesa con mi padre? ¿De mí?

Mi mujer no decía nada y su silencio me infundía valor. Sentí deseos de contárselo todo, lo habíamos pasado tan bien el fin de semana... Alzó la cabeza y me dirigió su mirada azul, estaba seguro de que me comprendería.

Con los puños apretados en los bolsillos, yo titubeaba. Estaba a punto. No paraba de sorber para librarme de la gota que me colgaba de la punta de la nariz.

Oía los gritos de mi hija. Para llamar la atención de los parapentes, agitaba los brazos hacia ellos.

Mi mujer me miraba, con la cabeza inclinada hacia un lado. Se daba cuenta de que yo tenía algo que decirle, pero yo no sabía si su sonrisa me invitaba a lanzarme o, por el contrario, a callarme.

En el bolsillo interior de mi abrigo, contra mi corazón, el teléfono móvil empezó a vibrar.

No pude resistirme. Me aparté suavemente para leer el mensaje de texto: Alix se alegraba de que fuera a verme.

Cuando me di la vuelta, mi mujer y mi hija caminaban cogidas del brazo y daban saltitos porque tenían frío. Les propuse que regresáramos a casa. De todos modos, no podíamos volver demasiado tarde, a causa de mi avión.

Mi propuesta fue acogida con gritos de alegría.

Envidio la pena de Alix porque es identificable.

Cuando estoy con mi mujer, ella está triste. No tiene ganas de que vaya a Nueva York. Este año, le habría gustado pasar conmigo la Navidad y también el Año Nuevo.

¿Teme encontrarse en la mesa para el almuerzo del 25, rodeada de parejas, con sus tíos y sus tías, que no se atreven a preguntarle si hay alguien en su vida? Sus padres no se preocupan, no esperan con impaciencia ser abuelos, porque ya lo han sido siete veces, todos los hermanos de Alix tienen hijos, pero les gustaría saberla feliz con un hombre.

Los padres de Alix gozan de buena salud, pero ya no son jóvenes. Su padre tiene tres años menos que el mío, fue ella quien me hizo reparar en ello: «Mi padre tiene edad para ser el tuyo.»

Para ella es frustrante no poder hablar a sus padres de mí. No quiere decepcionarlos y decirles, con la mirada baja: «Está casado.»

Sé que le ha hablado de mí a su hermano pequeño y sé también que su hermano pequeño querría conocerme.

¿Para partirme la cara?

A Alix no le gusta que le pregunten si tiene pareja y, cuando quieren saber si tiene hijos, experimenta un sentimiento de fracaso.

En ambos casos, le parece que está mintiendo y eso la incomoda.

Cuando responde: «No, no hay nadie en mi vida», no es verdad.

Si dice «Sí», teme las siguientes preguntas.

Cuando dice «Sí», se siente obligada a añadir «pero», aunque no tenga ganas de contar lo que viene a continuación, porque a nadie le importa.

Así que ha encontrado una fórmula, y dice: «Sí, pero tiene veintitrés años más que yo», como si nuestra diferencia de edad justificase sus dudas y su discreción con respecto a mí.

Cuando la invitan, Alix confía en que no le pregunten si irá acompañada.

Con tal de evitar esa clase de situación, puede llegar a rechazar una cena.

No quiero que se aísle.

Desde el mes de noviembre, Alix me espera y yo lo intuyo. Quizá sea el invierno, con la noche que cae antes y la perspectiva de la Navidad.

Detrás de cada una de las frases de Alix, oigo lo que ella no me dice e imagino lo que podría decir dentro de un año.

Al llegar el domingo por la noche a su casa, llamo al timbre aunque abra la puerta con mis llaves, me quito el abrigo y dejo mi bolsa en el sitio de siempre.

¿De qué humor estará Alix al otro lado del pasillo? Los fines de semana nos hacen retroceder varios pasos.

Con Alix no son los reencuentros lo que más me gusta.

Instalada a la mesa de la cocina, trabaja con su ordenador.

Aún me sorprendo cuando la veo.

Le doy un beso, cierra los ojos y yo también. Vuelve a abrirlos, sonríe, me pregunta cómo ha ido el vuelo y yo oigo: «¿Has dejado a tu mujer?» «¿Has encontrado mucho atasco al llegar a París? Yo oigo: «¿Cuándo dejarás a tu mujer?» Cuando se levanta, me pregunta si quiero tomar algo. «¿Sospecha algo tu mujer?» Sirve un Pouilly Fumé en dos grandes copas de balón y se pone a mi lado en el sofá: «¿Tienes hambre?» «¿Has hecho el amor con tu mujer?»

Bebe un sorbo: «¿Cómo se llama el restaurante de la calle del Faubourg-Poissonnière?» «¿Cómo lo haces para mentir a tu mujer? «¿Quieres que pidamos sushi?» «¿Así que nunca dejarás a tu mujer?»

Se levanta para telefonear.

. . .

¿Por qué ciertas mujeres tienen historias de amor más complicadas que las otras? Alix forma parte de esas mujeres.

Enseguida mostró reflejos de los que yo carecía. El fin de semana no me telefonea, y si necesita hablar conmigo, me envía un mensaje de texto para que la llame. Me hace regalos que yo pueda llevar a casa, libros y discos, nada de ropa ni accesorios, nada que yo no pudiera haber comprado. Cuando me escribe una postal, la mete sistemáticamente dentro de un sobre y la envía a mi oficina.

Aunque no tiene hijos, ha memorizado las fechas de las vacaciones escolares de la zona B y aprovecha para marcharse entonces.

Hace poco vino a buscarme al aeropuerto sin avisarme.

Durante el trayecto de vuelta, en los asientos traseros del taxi, me confesó que había dudado si hacerlo, pero que el deseo de sorprenderme se había impuesto.

Si yo hubiera ido acompañado, no necesariamente con mi mujer, sino con alguien que conociera a mi mujer, ella no habría querido ponerme en una situación embarazosa.

Por eso me había esperado junto a la agencia de alquiler de coches Hertz, un lugar estratégico desde donde observar la llegada de pasajeros sin ser visto.

No se lo dije, pero hacía tiempo que yo esperaba que lo hiciese.

• • •

Cuando no estoy con ella, Alix pasa las páginas de su agenda y cuenta.

Desde hace un año paso más tiempo con ella que con mi mujer.

Sola en su apartamento, dice en voz alta: «No lo comprendo», lo repite varias veces, cada vez más rápido y más fuerte, como si eso pudiera ayudarla a comprender, pierde los nervios y los ojos se le llenan de lágrimas.

Es injusto.

El sábado por la noche, en su cama, Alix se hace preguntas y eso le impide dormir.

¿Qué es lo que comparten?

Imagina que, durante el fin de semana, evito a mi mujer y a mi hija en mi amplia casa, que me acuesto tarde y remoloneo en la cama por la mañana.

En cuanto a Nueva York, Alix debe de pensar que fue idea de mi mujer: que compró los billetes sin consultármelo, en internet, con la tarjeta de la cuenta común.

No sospecha que fui yo quien los encargó en la agencia de enfrente de la oficina.

Alix piensa en mi matrimonio dondequiera que esté.

En la calle, el domingo, cuando vuelve del cine al que no ha ido conmigo, se pone frenética, se enfada conmigo y camina deprisa.

· · ·

¿Me ha tachado ya de «pobre diablo», con una doble vida, como tantos otros «pobres diablos»? Una vida paralela que ella habrá comparado con los raíles de un tren, dos vidas que se desarrollan tranquilamente una junto a otra sin encontrarse jamás.

Alix contempla mi matrimonio igual que, de joven, contemplaba yo el de mis padres.

«¡No seré como ellos! ¡No caeré en las mismas trampas que ellos!»

Eso no le pasará a Alix, que su marido la engañe al cabo de veinte años.

Quizá piensa que, después de tanto tiempo, mi mujer y yo nos hemos convertido en buenos compañeros.

¿Cree que cuando le digo «hola» o «adiós» a mi mujer lo hago desde lejos?

¿Cree que el viernes por la noche, para recibirme en Marsella, mi mujer me da un beso en la mejilla? ¿O que deposita en mi boca un beso leve y tan furtivo que nuestros labios apenas se tocan? ¿Y, si se tocan, que eso provoca electricidad estática que nos da una descarga en los labios y nos hace retroceder de forma instantánea?

¿Cree Alix que mi mujer ya no me hace gozar? ¿O prefiere no pensar en ello?

¿Se pregunta si, con mi mujer, duermo desnudo o con pijama?

Sabe que detesto los pijamas.

«¿Duerme quizá en el salón, en el sofá?» O tal vez imagine que en nuestro dormitorio la cama es tan grande que mi mujer y yo permanecemos cada cual en su lado, separados por una frontera invisible en mitad del colchón, y dándonos la espalda, sin tocarnos.

¿Se acuerda Alix de mi mujer?

Las dos se cruzaron hace unos años.

Debe de pensar que son muy diferentes.

Quizá cree que yo las comparo. Es muy femenino eso de compararse físicamente. El vientre de la una es más plano que el de la otra, pero la otra tiene el pelo más sedoso que el de la una.

Debe de preguntarse si les cuento las mismas anécdotas, con los mismos adjetivos. A veces me hago un lío y tengo la desagradable impresión de chochear.

Y el deseo, ¿lo reciclo?

Si, por ejemplo, el viernes por la mañana, en París, en el momento de mi partida, Alix me excita mucho, ¿será mi mujer la que se aprovechará de ese ardor?

Si Alix está celosa, no lo demuestra.

Habla de mi mujer con naturalidad, sin curiosidad ni reproches.

Cada vez que Alix dice «tu mujer» me pongo tenso.

En cualquier frase, las palabras «mi mujer» las pronuncio más deprisa que las otras, o bien digo: «No estaré solo» y, cuando regreso de Marsella, el domingo por la noche, al contarle el fin de semana, en lugar de «nosotros» empleo «yo». «Fui a pasear a las Goudes», «Acompañé a mi hija a un concurso hípico». Eso debe de darle a Alix la falsa impresión de que ya no comparto nada con mi mujer.

A menos que no se deje engañar. Alix sabe que «yo» significa «nosotros».

Espero que explote.

Espero que me señale con el índice mientras repite: «¡Ya te lo había dicho! ¡Ya te lo había dicho!», porque una noche de diciembre, al principio de todo, antes de que hubiera pasado algo entre Alix y yo, en un pequeño bar del distrito decimoctavo, durante un concierto, hombro con hombro, mientras nuestras manos, que rodeaban sendos vasos de cerveza, se rozaban, ella soltó esta frase: «Todo esto es más peligroso para mí que para ti.»

Hasta entonces no lo habíamos nombrado. Por supuesto, nos telefoneábamos demasiado, nos enviábamos demasiados mensajes de texto y demasiados mails y, cuando estábamos juntos, saltaban chispas a nuestro alrededor. Por supuesto, me las ingeniaba para que mis citas fuera de la oficina tuvieran lugar en su distrito, me inventaba excusas para tropezarme con ella, la besaba muy lentamente al saludarla, me concentraba en el contacto de su mejilla contra la mía, su piel era suave, yo elegía con precisión dónde colocar mis manos en sus hombros, sus brazos, su cintura, y trataba de percibir su cuerpo a través de la ropa. En Marsella, me despertaba temprano, veía la información meteorológica de París, jugaba nerviosamente con mi alianza dándole vueltas alrededor de mi anular, pero me dedicaba a fingir que no pasaba nada.

«Todo esto es más peligroso para mí que para ti.»

Alix lo había dicho sonriendo, un poco compungida, y yo no comprendí si se trataba de un consentimiento o de un rechazo por su parte. No contesté nada, aunque la palabra «peligroso» me pareció desproporcionada en aquel entonces. Durante el silencio que siguió, Alix y yo no disimulamos.

¿Sus palabras habrían debido hacerme entrar en razón?

Sabiendo que le hacía correr un peligro, habría podido apurar mi cerveza, levantarme, saludarla, marcharme y no volver a verla más.

Esa noche, podría haber elegido resistirme a mi deseo.

Pero ni siquiera contemplé esa posibilidad.

La primera vez que Alix y yo hicimos el amor, me desnudé muy deprisa porque tuve miedo de que cambiara de opinión. Me pareció que, desnudo, le daría más apuro echarme. Pensé: «Contra mi cuerpo desnudo, se abandonará más fácilmente.»

Hicimos el amor y dormí mal.

No era la primera vez que engañaba a mi mujer, ya había ocurrido en dos ocasiones, pero se trataba de aventuras sin futuro.

Alix dormía apaciblemente a mi lado.

No llevaba razón. Estar desnudo en su cama era tan peligroso para mí como para ella porque no tenía ganas de que aquello acabase.

Pero en aquel momento me sentía invencible.

¿Qué aspecto tendrá mi hija dentro de diez años? Ciertas expresiones suyas me permiten adivinar su rostro de adulta.

Al convertirse en una mujer, quizá se parecerá cada vez más a mi mujer.

Mi hija quiere ser veterinaria.

Dentro de diez años, estudiará en París. Yo tendré sesenta y cuatro.

Me llamará una noche en la que me habré quedado hasta tarde en la oficina y me citará en un restaurante italiano, cerca de su estudio.

Por teléfono, me dirá: «Tengo una gran noticia que darte, papá», y yo me esperaré cualquier cosa.

El camarero dejará en la mesa una botella de champán y en los ojos de mi hija habrá tantas burbujas como en la copa que le serviré y que se beberá de un trago.

«¡Papá, papá, estoy enamorada!»

Mi propia emoción me sorprenderá. Mi hija. Mi hijita pequeña.

«Papá, estoy enamorada de un hombre, pero está casado. Tiene treinta y seis años y dos hijos.»

No creo que espere a los entrantes, ni siquiera a pedir, para revelarme que él está casado. Querrá soltarlo enseguida.

Querrá mi aprobación.

Dirá: «¿Sabes, papá?, es maravilloso, con él ya no tengo miedo», y como me quedaré en silencio, añadirá: «No lo hemos buscado, intentamos resistirnos, pero no pudimos», como si su historia fuera una fatalidad.

«Lleva doce años casado.»

Hablará de él toda la velada, con las mejillas sonrosadas, y al final de la cena aún estará más enamorada por la embriaguez del champán y de las palabras.

A los veinticuatro años se es demasiado joven para mantener en secreto tanta felicidad.

«No le digas nada a mamá. No quiero que se preocupe.»

¿Y yo? ¿Por qué no iba a preocuparme yo?

Cuando me conteste «Porque tú lo comprendes», no sabré exactamente adónde quiere ir a parar.

«¿Sabes?, me dice que necesita tiempo. Por supuesto, los fines de semana son complicados, y temo las vacaciones escolares, pero hablamos, hablamos mucho, hablamos de todo.»

Yo no me creeré ni una palabra de lo que él le dice y me enfadaré con él por decirle tanto.

«Me invitó a su casa cuando no estaban su mujer y sus hijos porque quería que supiera cómo es. Después de todo, también es su casa», y morderé mi tenedor para no alterarme.

Yo nunca he hecho eso.

En boca de mi hija, todo eso me parecerá banal.

La escucharé en silencio aun sabiendo de antemano el desenlace.

«Papá, me haría tanta ilusión que lo conocieras, os entenderíais tan bien...»

Me daré cuenta de que está prendada y se me encogerá el corazón. Y no porque el imbécil que ella haya elegido esté casado, sino porque es mi única hija y yo tendré sesenta y cuatro años.

Ella estará resplandeciente y, al dejar el plato delante de ella, el camarero la mirará un poco más de la cuenta. De los entrantes hasta el postre, cada vez que él se acerque a nuestra mesa, diré: «Hija, hija, hija», para que no tenga la desafortunada idea de pensar otra cosa.

Durante toda la velada, mi hija no dejará de mirar su teléfono móvil y yo desconfiaré de todos los hombres.

Me atragantaré al oír: «Para mí sus hijos no son un problema, tengo ganas de cuidar de ellos», y pensaré en el alquiler de su estudio, que pago todos los meses.

Con toda modestia, mi hija creerá que conoce mejor a ese hombre que su propia mujer.

Barrerá sus doce años de matrimonio con sus ampulosos gestos de enamorada.

¡Cuatro mil trescientos ochenta días de vida en común! ¡Pasan unas cuantas cosas en cuatro mil trescientos ochenta días! Entre ellas, dos embarazos, quizá más, y la felicidad de ese imbécil el día en que, como a mí, su mujer le anunció que iba a ser padre.

Mi hija no pensará en todo eso y yo no me atreveré a preguntarle desde cuándo se ve con él.

«Papá, hace tres meses, y nunca había vivido algo así.»

Al volver la cabeza hacia la derecha, ya no veré la sala del restaurante sin ventanas, sino una sólida pared de yeso hacia la que se precipita mi hija, con la cabeza por delante.

No podré determinar con exactitud la distancia que le quedará por recorrer antes del impacto.

¿Tiene miedo?

Mi hija es temeraria. Su profesor de equitación nos lo dice cada vez que nos ve a su madre y a mí.

Se parece a mí.

Allí estaré para soplar sobre sus chichones y sobre sus morados y sobre sus lágrimas y sobre su corazón.

«Papá, estoy enamorada de un hombre, pero está casado.»

La fortuna se estará burlando de mí.

Por la pena, y porque la botella estará vacía, pediré dos copas más de champán.

Mientras esperamos los postres, se empeñará en enseñarme una foto de él, y, ante su entusiasmo, sacaré las gafas de mi bolsillo interior. En su teléfono, hará desfilar varias fotos tomadas por ellos mismos estirando el brazo, un día de sol, en un *bateau-mouche*.

Ninguna de esas imágenes permitirá sospechar que se trata de un hombre casado y me veré obligado a admitir que el imbécil parece buen tío.

En esas fotos se los verá felices, y se me encogerá el corazón porque él estará casado.

Al levantar los ojos hacia mi hija, aunque durante toda la cena ella haya sostenido lo contrario, leeré esperanza en su rostro.

Todo su cuerpo estará volcado hacia ese hombre que me mostrará en su teléfono.

Vete, hija mía, vete.

Eres tan joven...

Vete, no dejes que él te robe lo más valioso que tienes.

Eres mi hija, y quiero lo mejor para ti.

Vete y no te molestes en dar explicaciones. Déjalo plantado con su mujer y sus dos hijos.

Vete, deje él o no a su mujer.

Te esperan historias más dichosas.

Vete, cariño mío, un hombre casado no es lo bastante bueno para ti.

· · ·

Dentro del coche, debajo de su casa, titubearé un poco, pero decidiré no decirle nada para no provocar la reacción contraria.

Al darme un beso me confesará: «Papá, no sabía que era posible. Amar de esta forma», y yo intentaré alegrarme un poco.

Al menos eso.

La miraré marcharse corriendo hacia el gran portón de madera de su edificio y teclear el código digital que, en principio, protege de la aventura.

Hace buen tiempo y los postigos del despacho están abiertos.

He dejado un resto de café frío en la taza. Tumbado en el sofá, mi cabeza descansa sobre mi grueso jersey gris.

Oigo a mi mujer pasar el aspirador abajo, en el salón. Las agujas del abeto caídas en la alfombra la exasperan.

Tengo un código para bloquear el teclado de mi teléfono móvil. Mi mujer lo conoce, es la fecha del cumpleaños de nuestra hija.

Mi mujer no husmea en mis cosas. No lo creo.

Pero bastaría con que el teléfono vibrase ahora, lo he dejado sobre la biblioteca.

Mi mujer vería la luz de la pantalla iluminada proyectarse sobre el estante de arriba. Detendría el aspirador pensando que mi teléfono sonaba: «¿Será algo importante? ¿Será del despacho?»

«¡Te echo en falta!», con las diez cifras del número de teléfono de Alix en la parte superior. Instintivamente, mi mujer anotará el número, que empieza por «06», en el interior de un libro de bolsillo que alguien ha dejado por ahí.

Despacio, regresará al aspirador, pero el crujido de las agujas al pasar por el tubo ya no le deparará la menor satisfacción.

«¿Te echo en falta?»

Esas cuatro palabras bailarán en su cabeza y no la dejarán en paz.

El tubo de acero se caerá de las manos de mi mujer.

Abandonará el aspirador en medio del salón como un viejo animal sin aliento para ir a buscar en mi teléfono móvil.

¿Buscar qué?

Como los he borrado, no encontrará ni un solo mensaje de texto ni un solo mensaje de voz. Fotos tampoco.

Pero en el registro de llamadas, el número que empieza por «06» —y que ella comparará con el que acaba de anotar en el interior del libro de bolsillo— aparecerá todos los días, varias veces al día.

Demasiadas veces.

Mi mujer verá que la última llamada perdida de Alix es de ayer, a las dos y media de la tarde.

El ruido del aspirador se tornará inquietante y mi mujer desenchufará el cable de alimentación con un gesto seco.

No sabe que estoy aquí, cree que he salido. Al acostarnos, le dije que esta mañana iría a correr.

«¡Te echo en falta!»

Mi mujer subirá a nuestro dormitorio para llamar a información y preguntarles cómo se puede telefonear con un número oculto.

En la terraza, después de haber cogido un cigarrillo de mi paquete, aunque dejó de fumar hace ocho años, mi mujer marcará temblando el número de Alix precedido por «#31#».

En algún lugar de París, el teléfono de Alix sonará. En la pantalla aparecerá «Número privado».

Alix no se decidirá a responder, a nadie le gustan los números ocultos. Acabará contestando al cuarto tono pensando que puedo ser yo. Desde hace tres días, espera mi llamada.

«Sí, diga», mi mujer oirá la voz de Alix y enseguida adivinará que es joven. Alix repetirá «diga» algo más fuerte, y distinguirá un extraño soplido en el teléfono sin sospechar que se trata del ruido del viento en mi terraza.

Mi mujer colgará. Alix se sentirá incómoda.

Mi mujer apurará el cigarrillo hasta el filtro. Todo eso la dejará aturdida y la hará sentirse un poco asqueada. Intentará ser razonable: «No es nada, no es más que una voz femenina.»

«¡Te echo en falta!»

No lo conseguirá.

Se lavará las manos y se cepillará los dientes en nuestro cuarto de baño para quitarse el sabor del tabaco. Como se tira de un hilo para desenrollar un ovillo, pasará revista a nuestros últimos meses en busca de indicios susceptibles de traicionar la presencia de esa joven voz, femenina, en mi vida.

¡Todo se le antojará tan evidente! Nunca estoy en casa.

Se echará a reír en nuestro cuarto de baño, sentada en el borde de la bañera, con una risa nerviosa y desesperada, pensando en la palabra «cliché».

Repetirá «Yo no», «Nosotros no», como si eso pudiera cambiar algo.

Mi mujer tratará de dominarse y saldrá del cuarto de baño lamentando haber telefoneado. Pensará en el antes y querrá regresar a ese «antes». Ay, si no hubiera estado en el salón cuando el teléfono vibró. ¿Por qué decidió pasar el aspirador en ese momento? Ahora la traen sin cuidado las agujas de pino en la alfombra.

Para descubrir algo más, dudará si volver a llamar. Sin número oculto. La otra, la voz joven, responderá y mi mujer revelará su identidad.

No, no lo hará, no después de diecinueve años de matrimonio. Mi mujer preferirá hablar conmigo.

Recordará al agente inmobiliario por el que sintió debilidad cuando nos mudamos a Marsella.

Al principio, mi mujer no sufrirá mucho y eso la sorprenderá. En la terraza, después de haber colgado, se quedará atontada, y en el cuarto de baño también.

El dolor le vendrá de golpe. Mi mujer no es frágil, dio a luz sin epidural. Sin embargo, tendrá que sentarse en nuestra cama y concentrarse en la respiración para no gritar. Le dolerá todo.

En un momento de pánico, querrá llamar a nuestra hija para que acuda a abrazarla, pero se contendrá. Las imágenes de aquella película en la que Emma Thompson comprende que su marido la engaña al abrir sus regalos de Navidad desfilarán por su cabeza. En su habitación, Emma Thompson sacude las manos y mira al techo para no llorar porque debe reunirse con su marido y sus hijos, que la esperan abajo de la escalera.

Mi mujer comprenderá ese gesto, sacudir las manos muy fuerte. Como cuando te quemas.

Mientras espera mi regreso, será incapaz de hacer nada, aunque queda mucho por hacer. No acabará de hacer su maleta, no guardará el aspirador en su sitio, no vaciará el lavavajillas, no dejará las llaves con la botella de vino envuelta en casa de la vecina.

Se sentirá vieja e igual a todo el mundo.

Deseará la muerte de mi padre, pensando que todo es por su culpa.

¿Por quién la tomo? ¿Por una santa?

¡Si ella detesta el sacrificio!

Habría sido mejor perder la paciencia y quejarse, dar portazos en casa y abrumarme con reproches por no estar nunca allí.

¿Y Nueva York?

A mi mujer le gustan mucho las fiestas, pero Nueva York... ¿cómo se las apañará en Nueva York?

Después de haber cerrado las persianas, se meterá vestida en la cama, algo que nunca hace, ni siquiera cuando está enferma.

A mi mujer le costará tragar la saliva y el tiempo transcurrirá lentamente.

Como para consolar a un niño, repetirá «Te quiero, te quiero, te quiero» muy flojito en nuestra cama, sin saber a quién dirige todos esos «Te quiero», y el dolor se calmará un poco. Fijará su atención en los detalles, el movimiento imperceptible de una mancha de sol sobre la moqueta beige, el polvo acumulado sobre el zócalo inaccesible bajo del radiador.

Entonces se dirá que seguramente hay una explicación. Y que dentro de un rato, a mi regreso, yo le proporcionaré esa explicación. Le contaré que se ha puesto en ese estado justo antes de marcharnos, para nada.

«¡Te echo en falta!»

Una amiga puede echarme en falta y, además, hay una exclamación, y una exclamación es un signo amistoso. Puede tratarse también de una clienta que, en mi ausencia, se ha puesto en manos de uno de mis colaboradores y no está muy satisfecha de él. O quizá de una becaria, que va detrás de mí sin que haya pasado nada.

Y aunque la haya engañado, seguramente hay una explicación. Son cosas que pasan. ¿No lo ha hecho ella misma también? Si lo comprende, podrá perdonar.

Nos imaginará unidos ante esta prueba. ¿Y si saliéramos fortalecidos?

Esos pensamientos le infundirán valor y ganas de levantarse. Hasta que las preguntas salten de nuevo en su cabeza como las palomitas de maíz en la sartén: «¿Dónde? ¿Dónde se ven? ¿En un hotel? ¿Cuántas veces por semana? ¿Desde cuándo? ¿Quién lo sabe?

¿Quién es? ¿La habré visto ya? ¿Trabaja en el despacho?

»¿Qué edad tiene?»

Mi mujer dudará de todo. Incluso se hará preguntas sobre las razones de nuestra mudanza a Marsella.

Tendrá miedo de mí, miedo de que la abandone. Nuestra hija es mayor y yo gano mucho dinero. Mi mujer no quiere divorciarse, aunque le guste estar sola, no quiere vivir sola.

Se encontrará repugnante, en la cama, incapaz de levantarse. Tendrá ganas de que yo la consuele y que la coja en mis brazos.

Por fin oirá el sonido de la puerta de nuestro dormitorio al abrirse.

Cuando entre, me extrañará mucho encontrarla en la cama, pronto será la hora de marcharnos.

Iré a sentarme junto a ella: «¿No te encuentras bien?»

De momento mi mujer no sabrá qué decir. Querrá preguntarme «¿Qué es lo que pasa?», pero ya me ha planteado esa pregunta.

No se atreverá a decir «¿Hay otra persona?», porque temerá que le mienta.

Como permanecerá en silencio, yo me preocuparé. «¿Estás enferma?»

Entonces mi mujer se decidirá por «Tiene una voz bonita». El cinismo no está entre sus hábitos. Pero en este caso le saldrá de forma espontánea. Tendrá ganas de herirme, no hay razón para que sea ella la única que sufre.

No me sorprenderá, dejaré mi mano sobre su frente, un año sin ir con especial cuidado.

¿Qué le contestaré?

¿Telefonearé a Alix para decirle: «Al final no me voy»?

Podría darle la noticia riéndome como si se tratara de una decisión sencilla de tomar e imposible de lamentar.

Le diría: «Lo he meditado esta mañana, a solas en mi despacho, era obvio.»

¿Mi mujer sentiría menos pena si la abandonase por una mujer de cuarenta y ocho años o más?

¿Mi mujer encajaría mejor la noticia si Alix no fuera tan joven?

¿Cómo reaccionaría yo si una tarde, en la oficina, después de que se marchase la secretaria, mi socio llamara a la puerta de mi despacho para anunciarme: «Abandono a mi mujer. Tú asististe a mi boda hace siete años, pero la abandono por una mujer de treinta»?

¿Y si, al cabo de dos años, las cosas no fueran bien entre Alix y yo? ¿Y si al cabo de dos años de vida en común nos diéramos cuenta de que nos habíamos equivocado?

¿Y si no consigo dejarla embarazada porque mis espermatozoides ya no son bastante numerosos? No ya a causa de mi edad —el potencial reproductor de un hombre de más de cincuenta años equivale al noventa por ciento de un hombre de menos de treinta—, sino por culpa de los cigarrillos y el estrés.

De la culpabilidad.

¿Y si me deterioro físicamente y camino con un bastón, si tengo un cáncer de próstata, si padezco disfunción eréctil, como el veinte por ciento de los hombres entre cincuenta y cincuenta y nueve años?

¿Y si tengo un accidente cardiovascular?

¿Se quedará Alix conmigo?

No quiero perderlo todo.

¿Nos exigiremos Alix y yo que nuestra inversión sea rentable? Puesto que yo me habré divorciado y ella creerá haber roto una familia, ¿decidiremos permanecer juntos a toda costa, incluso si ya no tenemos ganas y eso nos hace desdichados?

En las horas más melancólicas, cuando cae la noche en invierno o ciertos domingos nublados, ¿le parecerá a Alix que estoy avejentado? Y yo, ¿me pondré a pensar en mi mujer y en mi hija con nostalgia?

El martes pasado regresé tarde.

En la oficina celebramos de forma improvisada el fin de año. Llegué a casa de Alix después de la medianoche, estaba borracho y de muy buen humor, y tenía hipo.

Alix dormía en la habitación y yo me reía solo en la cocina.

Mientras me servía un vaso de agua con gas, vi un anillo sobre el banco de trabajo gris, al lado del salero y el pimentero.

Qué sitio tan extraño para un anillo.

Alix no lleva joyas.

Era un anillo de oro —tenía el sello— muy fino y ligeramente biselado. Se me pasó el hipo y también las ganas de reír porque ese anillo parecía una alianza. Me pregunté si Alix, esa noche o cualquier otra, se había probado el anillo. Si se lo había puesto en el anular izquierdo, había estirado los brazos e inclinado la cabeza para mirarse las manos. Apoyada en el banco de trabajo, iluminada por la luz de la campana del extractor, debía de haberse dicho: «¿Así que tendría este aspecto?»

Pensé eso porque, en Marsella, en el cuarto de baño del piso de arriba, después de haber vuelto a colocar la cadena de la bicicleta de mi hija, que se había soltado un domingo, me quité la alianza. La dejé en el borde del lavabo y, mientras el agua corría, estiré los brazos y me miré las manos, sucias y sin alianza. Manos de aventurero.

Volví a dejar el anillo junto a la sal y la pimienta, en el banco de trabajo.

¿Podría casarme de nuevo?

Fui a acostarme y abracé tan fuerte a Alix que la desperté.

Al día siguiente por la mañana, cuando me tomé el café, el anillo ya no estaba en la cocina.

Cada semana, temo el momento de dejar a Alix. Nuestras separaciones son cada vez más difíciles, como si ensayáramos la de verdad.

El dolor se invita y no me gusta esa palabra porque está llena de mocos.

Antes de marcharme, se me hace un nudo en la garganta.

Con Alix, la hora que precede a mi marcha resulta penosa y no sabemos cómo llenarla.

No tenemos bastante tiempo por delante para ir al cine o de paseo y es demasiado para que pase rápido.

Sin conseguir interesarnos en ellos de verdad, buscamos temas de conversación que no sean mi partida y la fecha de mi regreso.

Para distraernos, vemos vídeos de humoristas en YouTube, dando la espalda a mi bolsa negra, depositada junto a la puerta de entrada.

• • •

No nos atrevemos a alejarnos de su apartamento y, si lo hacemos, es para ir al café de al lado.

La presencia del camarero y de los otros clientes nos da un respiro.

No tengo sed y Alix tampoco. Compartimos una Perrier, de pie en la barra, tratando de no mirar el reloj de pared.

En alguna ocasión he llegado a marcharme veinte minutos antes de la hora prevista, para dejar de esperar.

La solución que he encontrado para evitar esta situación consiste en marcharme a trabajar el viernes por la mañana temprano y coger el avión directamente al salir de la oficina.

Pero entonces el dolor llegaba la víspera, primero por la noche, luego la mañana de la víspera de mi partida.

Y la antevíspera.

Dejé a Alix el viernes. A partir del miércoles, el ambiente en su apartamento estaba cargado. Los dos habíamos perdido nuestra espontaneidad.

A fuerza de animación y de buena voluntad, tenía la impresión de ser el histriónico presentador de un programa de la primera cadena. Todo era «formidable» y «genial», ponía exclamaciones al final de cada una de mis frases.

Alix y yo estábamos tristes.

• • •

El jueves por la noche fuimos al restaurante indio de al lado para nuestra última cena antes de mi partida. Hacía tan buen tiempo que pudimos cenar en la terraza, lejos de las estufas, pero con el abrigo puesto.

Fumé mucho.

Alix me leyó el menú porque me había olvidado las gafas. Yo habría podido apañarme y descifrar los platos, que ya empiezo a conocer, pero escuché a Alix, a quien le gusta leer para mí.

Leyó todo el menú, las descripciones de cada plato e incluso los postres, los precios y los suplementos, en voz baja para no hacerme sentir incómodo, e interrumpiéndose para decir «Esto debería gustarte» o «Quizá yo tome esto», con la espalda muy recta y los brazos cruzados sobre la mesa, como una alumna aplicada.

La besé apasionadamente en la boca, como quien lanza un profundo suspiro de alivio. Tenía la nariz fría y la lengua caliente. Pensé que habíamos hecho bien en ir al restaurante, en salir de su casa, me dije que la cena iba a ir bien, como antes, cuando bastaba con una cena, cuando una cena era una cena y la disfrutábamos, desde la lectura del menú hasta el postre, e incluso hasta el café de después del postre y la propina de después del café.

Ahora hace falta algo más que una cena para hacer feliz a Alix.

• • •

Después de pedir, elegimos nuestros temas de conversación evitando cuidadosamente la Navidad.

No podía preguntarle qué iba a regalarles a sus padres, y a sus hermanos y hermanas, y a los niños, porque ella no iba a preguntarme qué le regalaría yo a mi mujer.

Tuve que repetirle varias veces qué día me marcharía a Nueva York.

El lunes, a las tres de la tarde, para diez días.

Alix me propuso celebrar con ella la Navidad en el mes de enero. Casi conseguimos persuadirnos de que era original.

Durante la cena, Alix escuchó retazos de conversaciones de nuestros vecinos y eso no me molestó. Dos amigos de juventud, un poco más jóvenes que yo, que llevaban mucho tiempo sin verse. Alix me susurró al oído: «¡Me encantan las amistades entre hombres!» Los escuchaba con la cabeza inclinada, sonriendo. En determinado momento, clavó la mirada en el cenicero. Tiene esa capacidad de ensimismarse. Sus pensamientos se vuelven opacos.

¿Adónde se va?

Después de la cena, Alix y yo aún teníamos que atravesar juntos la noche. ¿Cuánto tiempo íbamos a pasar sin vernos? ¿Tres semanas?

Ella se estaba duchando y yo la esperaba en la cama. Sin duda los dos pensábamos en lo mismo.

«Vamos a hacer el amor. Hay que hacer el amor, puesto que me marcho mañana.»

Las noches anteriores a mis partidas se parecen a las de los principios de una historia, encorsetadas.

De haber podido elegir, habría querido dormir dentro de su cuerpo, sin moverme. ¿Es eso posible físicamente? Los dos en postura fetal. Yo detrás de ella, penetrándola sin gozar y quedándonos el uno dentro del otro hasta despertarnos.

Alix se reunió conmigo en la cama, envuelta en una toalla. Tenía mojadas las puntas del cabello y las piernas frescas.

Hicimos el amor y se agarró a mí, incluso con su sexo.

El viernes por la mañana me levanté y, como castigo, llovía.

Me di una ducha y me vestí. En la cocina, me tomé un café fumando un cigarrillo, junto a la ventana.

Alix se quedó en la cama, yo le agradecí que hiciera ver que dormía.

Preparé mi bolsa.

Recogí mi neceser del pequeño taburete que está junto al lavabo del cuarto de baño, recuperé la camiseta que llevaba la víspera y que se había quedado debajo del tejano de Alix, en el sillón de su dormitorio, cogí mi camisa colgada del armario, al lado de su ropa, y dejé deliberadamente dos camisetas mías dobladas en un estante y un par de calcetines, desenchufé el cargador de mi ordenador en la cocina y el del teléfono móvil, sin olvidarme de las gafas de leer, que estaban sobre la mesita de noche, metí el libro que Alix me había prestado en el bolsillo exterior de mi bolsa para tenerlo a mano, recogí las dos copas y la botella de vino vacías que habíamos dejado en el suelo del salón, a los pies del sofá. Le di pienso al gato.

Aunque fui muy cuidadoso y esperé hasta el último minuto para ponerme los zapatos, mientras guardaba mis bártulos, el parquet crujía.

Con las llaves no sabía qué hacer.

Mientras me ponía el abrigo, pensé que si Alix se quedaba sin poder entrar en su casa, podía telefonear a la asistenta. Pero si Alix decidía marcharse a algún sitio por Año Nuevo, lo mejor sería que su vecina volviera a tener el llavero.

En la entrada, con el abrigo echado sobre la espalda y las llaves de Alix en el bolsillo de la derecha, se me ocurrió que sencillamente podía preguntarle: «¿Vas a necesitar mi juego de llaves durante las fiestas?»

Pese a saber que no dormía de verdad, no me apeteció despertarla para eso, ni que fuera ése nuestro último contacto.

Antes de marcharme, cuando me siento en el borde de su cama, en el momento de darle un beso, tengo que decir algo: «Me voy», «Te llamaré», «Que pases unas felices fiestas».

«¿Me llevo tus llaves?» no es apropiado.

Me incliné y, al besarla en la mejilla, en la frente, en el cuello, en la boca, murmuré: «Se nos va a hacer un poco largo.»

No tuve paciencia para esperar el ascensor. Bajé a toda prisa la escalera.

Salí del edificio y, en la calle, donde ya era de día, subí al taxi que me esperaba en una zona reservada para carga y descarga. Arrancó, por fin dejó la calle de Alix y yo recosté la cabeza en el respaldo del asiento de cuero negro.

Antes de subirme al taxi no me di la vuelta.

No levanté la vista hacia la ventana del apartamento de Alix, el lugar donde me había tomado el café y desde donde ella me mira partir cada vez que me voy.

Cada vez, y eso me fastidia algunos días, cuando estoy en la calle y espero un taxi que no llega, Alix se queda en la ventana, y entonces me siento obligado a hacer el payaso o le mando unos besos antes de girar en la esquina de la calle Gérando.

En ocasiones alguien lo advierte, por ejemplo, el taxista, o, si decido coger el metro, otro peatón que aguarda a mi lado a que el hombrecillo se ponga verde. Intentan ver a quién me dirijo, levantan la cabeza mirando en torno de ellos y eso acaba poniéndome de buen humor. ¿Los miran marcharse por la mañana sus mujeres, desde la ventana? No saben que Alix no es mi mujer.

La primera vez que me marché de casa de Alix di un largo rodeo para llegar a la estación de metro. Vestía la ropa de la noche anterior y miraba cada tienda, cada comercio con el embeleso de la falta de sueño. Albergaba la esperanza de volver.

Llevaba la camisa arrugada y me preguntaba qué diablos contestaría si alguien me lo comentaba. No tenía tiempo de pasar por el hotel para cambiarme, ni tenía camisas nuevas, aún metidas en su envoltorio, en un armario de mi despacho de la oficina, como los protagonistas de las películas norteamericanas.

¿Cuánto hacía que no había llevado dos días seguidos el mismo calzoncillo y el mismo par de calcetines?

Con mis calzoncillos de la noche anterior, volvía a experimentar la ligereza de la mañana siguiente a una fiesta.

• • •

Recuerdo esa mañana como una mañana de verano. Me veo andar sin abrigo por la calle, pero llevaba abrigo porque era el mes de enero. En mi recuerdo, los árboles estaban cubiertos de hojas, pero no podían estarlo, seguramente aún tenían los adornos navideños.

Recuerdo esa mañana como una mañana de verano debido a la despreocupación. Todas las mujeres con las que me cruzaba eran guapas, aunque no llevaran vestidos ligeros, y los hombres también eran guapos. Tuve ganas de pararme a tomar un café y disfrutar del sol.

Pero en ese período del año no hay terrazas, o bien están cubiertas y caldeadas con estufas.

Antes de cruzar, al pie del edificio de Alix, me volví con la esperanza de que estuviera en la ventana. Hice una apuesta conmigo mismo: si está en la ventana, entonces volveré y haremos el amor otra vez.

Allí estaba Alix, en la ventana de su cocina. Con la espalda muy recta. Le envié un beso con el dedo medio y el índice. Al alzar el brazo hacia ella, pensé que me echaría a volar.

Desde entonces, ella está ahí cada vez. Es nuestro ritual.

Es tenaz, para el amor y para lo demás.

Dice que no hay que hacer las cosas una sola vez, hay que hacerlas cada vez.

En la calle, cuando me marcho por la mañana, levanto la cabeza con la esperanza de que esté ahí. Hay una fracción de segundo de suspense.

Aparece.

A veces cambia de ventana mientras me mira.

O llega más tarde, y ya me he vuelto una vez, dos veces, y nadie, ya he enfilado la calle y, por fin, se recorta su silueta, en bata, con una taza de café en la mano.

Se desnuda.

Me hace grandes gestos y no comprendo lo que quiere decir.

No consigo ver la expresión de su rostro detrás del cristal, pero por la postura del cuerpo adivino si está contenta o triste.

Alix está contenta cuando sabe que regreso por la noche.

Si hago el promedio, duermo en su casa regularmente desde hace ocho meses, es decir, doscientos cuarenta y cuatro días. Si resto de esa cifra los fines de semana, las vacaciones y mis desplazamientos al extranjero, puedo afirmar que Alix se ha apostado por lo menos ciento treinta veces en su ventana para mirarme marchar.

Es mucho.

¿Por qué, el viernes, no miré hacia su ventana antes de subir al taxi?

No bajé la ventanilla y no me asomé.

¿Me miró marcharme? ¿Vio girar el taxi negro al final de la calle, después de haber puesto el intermitente?

· · ·

El taxi circulaba hacia el bulevar Magenta. Dejamos atrás el distrito de Alix.

Cuando íbamos por la estación del Este, entre el flujo de peatones que cruzaban, reconocí a uno de mis amigos. Estuve a punto de bajar la ventanilla para llamarlo.

Es un amigo cercano, que quizá sabe lo nuestro, y me hizo ilusión verlo. Ya me estaba imaginando la conversación telefónica en el curso de la cual yo le diría a Alix: «Nunca adivinarás a quién he visto camino del aeropuerto.» Me pareció una señal, aunque no sé de qué. Un último vínculo con ella antes de dejar París.

¿Por qué no había levantado la vista hacia su ventana? Sólo un vistazo.

En la puerta de Italia, el taxi cogió la autopista A-6, dirección Lyon, y se circulaba bien a pesar de la lluvia.

En la radio había un reportaje sobre el éxito de la obra teatral *Los monólogos de la vagina.* El periodista enumeraba cifras a toda velocidad apoyándose en todas las primeras sílabas, como los comentaristas de deportes. Traducido a *cin*cuenta lenguas, representado en *cien*to treinta países, más de *tres* mil quinientas representaciones en Francia.

A continuación emitieron un montaje de extractos de la obra, interpretados por jóvenes actrices.

Pese a que no estaba de humor para risas, me pareció cómico; dos hombres que no se conocen y que, en la promiscuidad de un coche, escuchan a varias mujeres hablar de sus vaginas.

Miré al taxista por el retrovisor central, no parecía incómodo. Quizá no prestaba atención, o bien ya había oído ese reportaje esa misma mañana durante otra carrera.

No sé cuántas veces salió de la radio del coche la palabra «vagina».

Por miedo a que me malinterpretase, no le pedí al taxista que cambiara de emisora.

No creo tener problemas con esa palabra, pero al cabo de un rato, a fuerza de repetirla, «vagina» empezó a resultarme una lata.

Los carteles azules comenzaron a indicar «Orly».

Miré mi reloj, había salido con demasiada antelación y llegaría temprano al aeropuerto.

¿Qué haría Alix?

¿Se habría levantado?

¿Estaría tomándose un café sentada en mi lado de la cama?

Alix se toma el primer café de la mañana en la cama. Antes de conocerla, yo prefería apurar hasta el último minuto de sueño y levantarme de golpe, sin pensar, porque no había más remedio que levantarse.

Por la noche pone el despertador con quince minutos de antelación y, cuando suena, no se va directamente a la ducha, ni al lavabo, tampoco enciende la luz, sino que va a prepararnos un café. Luego Alix vuelve a la habitación de puntillas, deja una taza para mí en mi mesilla de noche y se toma su primer café en la cama, en la penumbra.

La oigo soplar y tragar.

Me acaricia el pelo y yo voy saliendo del sueño, poco a poco, mientras se enfría mi café.

Debería comprarse una máquina de café con opción programable, pero no lo hace porque le cuesta gastar dinero en electrodomésticos.

Me prohibió que le regalase una.

El contador gira, los números verdes me recuerdan a los que indican la hora en el despertador de Alix, aumentan los kilómetros que nos separan. En la parte trasera del taxi, empiezo a tener calor.

¿Estará bajo la ducha?

¿No habrá cambiado las sábanas aún?

Y mi toalla, todavía húmeda, ¿la habrá echado inmediatamente al tambor de la lavadora?

Hay embotellamiento en la autopista en dirección a París. Los coches llevan los faros encendidos, el tiempo es desapacible.

Los cristales del taxi están empañados y el ruido del limpiaparabrisas me saca de quicio. Bajo la ventanilla, el taxista me mira y le pregunto si le molesta. No le molesta, pero apaga la calefacción.

Me suda la nuca, me quito el abrigo. El asiento del copiloto está demasiado atrás y no puedo estirar las piernas.

Me impaciento, tengo ganas de salir del coche. Miro mi iPhone, no hay mensaje de texto ni llamada de Alix. Abro un poco más el cristal, gotitas de agua caen en el habitáculo sobre el tapizado de piel.

Siento deseos de pedir al taxista que dé media vuelta aunque haya embotellamiento, la próxima salida está a dos kilómetros. Qué se le va a hacer, perderé el avión.

Me imagino la cara que pondría Alix si yo volviera y abriera su puerta con mi llave para reunirme con ella en la cama. ¡No daría crédito!

¿Cuándo la veré de nuevo?

La próxima vez me parece tan lejos... tengo miedo de que ya no haya más.

No hemos convenido una fecha exacta, no hemos fijado el día como se fija una cita con el médico. No hay cuenta atrás posible. En el asiento trasero del taxi, no puedo decirme: «Dentro de veinte días la veré. Veinte días pasan deprisa.»

¿Y si nuestro reencuentro no tuviera lugar?

¿Por qué me he puesto el abrigo para decirle adiós?

¿Por qué no he vuelto a estrecharla una vez más contra mí? Habría podido levantarme, salir de su habitación y volver sobre mis pasos. ¡Uno más, un beso más!

Me he marchado deprisa, como si fuera a regresar por la noche. He intentado no hacer demasiado ruido al recoger mis cosas.

¿Por qué no he hundido la nariz en su sexo antes de marcharme?

Habría podido llevarle el café a la cama.

O dejarle una nota en la mesa de la cocina.

Es la clase de cosas que ella hace.

Abajo, en la calle, me he precipitado al asiento trasero del taxi.

¿Por qué soy yo el que se marcha?

Tengo ganas de telefonear a Alix, pero no voy a hacerlo en el asiento trasero de un taxi. Me imagino nuestra conversación y se me alegra el semblante. Digo «Hola, amor mío», digo «Me alegro de oírte», digo «Te echo en falta» y digo «Lo siento mucho», encuentro las palabras exactas fácilmente, sin vacilar, las palabras que podrían deshacer el nudo que se me ha formado en la garganta. Querría poder arreglarlo todo con una llamada, pero me conozco, no me gusta el teléfono, me siento incómodo y tenso, interpreto mal los silencios y, cuando cuelgo, es aún peor.

Orly se acerca y soy presa de las angustias más insensatas. Tengo miedo de que el avión se estrelle. Si le pido al taxista que dé media vuelta, tengo miedo de sufrir un accidente de camino a París.

No me he dado la vuelta, no la he mirado en la ventana. Para Alix es una afrenta.

Lo acepta todo, mi mujer, mi hija, mi padre, Nueva York, pero, lo de la ventana, eso no me lo pasará.

Cuando yo regrese, no me abrirá.

• • •

El taxista me interrumpe.

Estaba apretando tan fuerte las llaves de Alix que me han dejado una marca en los dedos.

Me pregunta por la terminal.

Contesto «Oeste» a mi pesar.

Mi mujer quiere que la folle y no de cualquier manera, con ternura.

Quiere que le coja la cara entre las manos y que le bese el cuello, quizá también que le susurre al oído que la amo, que es mi mujer y que la encuentro hermosa.

Mi mujer quiere que la folle.

Ha llamado a la puerta del despacho y ha esperado a que yo respondiera «Sí» antes de abrir. Ha venido a sentarse en el sofá y, después de un largo silencio, ha dicho «Desde que regresaste no hemos hecho el amor», como habría podido decir «Tenemos que hablar».

Repite: «Ya no hacemos el amor.»

¡No es verdad!

Cuando compara mi piel fría con la de una serpiente, me parece injusta.

¿Se ha mirado ella acaso?

Mi mujer ofrece el aspecto altivo de las personas heridas. Se ha sentado en el borde del sofá, con la espalda recta y una mano en cada rodilla. Del bolsillo de su vaquero sale un pañuelo blanco de papel. Sus pies descalzos se arquean sobre el suelo de piedra.

Yo estoy de pie en medio del despacho, con las manos en los bolsillos y en calcetines porque en el piso de arriba hay que quitarse los zapatos.

Nos encuentro viejos y eso me enfurece.

Tengo ganas de abalanzarme sobre mi mujer y me trae sin cuidado que se golpee la cabeza contra la mesa baja. Tengo ganas de arrancarle la ropa y follarla enseguida como un actor de películas porno.

¿Ya no hacemos el amor?

O bien no desnudarla. Sólo abrirme la bragueta y bajarle el vaquero y las bragas al mismo tiempo arañándole las nalgas. Y escupir en la palma de mi mano para mojarle el sexo y hundir el mío en él.

Sólo de pensar en ello, me excito.

Encaminarme hacia ella y coger su rostro, sé que eso le gustará, basta con que le ponga las manos en las sienes para que se le pasen los dolores de cabeza.

No la soltaré al golpear el fondo de su paladar con mi sexo, justo al lado de su glotis.

Seré yo quien imprima el movimiento de vaivén con mi pelvis. Y si se le pone rígida la nuca, aún se me pondrá más dura.

Tengo ganas de poseer a mi mujer, en el suelo, a los pies del sofá, aunque se despelleje la mejilla y la barbilla al frotarlas contra el suelo de piedra.

Entonces mi mujer podrá gritar, aunque mi padre esté al lado, en la habitación de invitados, y no esté sordo, porque la haré gozar.

«Ya no hacemos el amor.»

La cólera me abandona y me siento culpable.

¿Desde cuándo me he convertido en el adversario de mi mujer?

Tiene razón en querer hablar. «No olvidéis hablar», es lo que nos dijo el alcalde durante la ceremonia de nuestro matrimonio, y eso nos emocionó.

Mi mujer no me hace reproches, empieza la mayor parte de las frases con «yo» y no con «tú», y dice sinceramente lo que siente.

Le gustaría comprender.

Su discurso es claro, sin vacilaciones, debió de prepararlo hace tiempo, punto por punto.

Las palabras le vienen con facilidad, pero le tiembla la voz.

Desde hace varios meses, cuando me telefonea a París, antes incluso de saludarla, empiezo por: «No tengo tiempo.»

¿Va a preguntarme mi mujer si hay otra persona?

«Ya no hacemos el amor», y eso la entristece.

Por la calle, camino a su lado apretando los puños. Me marcho cada vez más temprano los domingos, llego el sábado por la mañana a Marsella. Apenas ha tenido tiempo de acostumbrarse a mi presencia, me marcho. Apenas ha tenido tiempo de acostumbrarse a mi ausencia, ahí estoy, de regreso.

Mi mujer no se pone nerviosa, no dice palabrotas, no puntúa sus frases con: «Estoy harta.»

Habla en voz baja para que mi padre y nuestra hija no nos oigan.

Para no echarse a llorar.

Se pregunta en voz alta si era necesario tener esta conversación justo antes de nuestra partida a Nueva York.

«Ya no hacemos el amor»: resulta gracioso porque ella pensaba que, en una pareja, eran más bien los hombres los que se quejaban de eso.

Voy a sentarme a su lado y, como no sé qué decirle, la toco. Le pongo un mechón de cabello detrás de la oreja. Le paso el brazo derecho por la cintura.

Cuando sonríe, mi mujer sonríe con la boca, con las mejillas, con la nariz y también con los ojos. Tiene los dientes pequeños y blancos, apretados los unos contra los otros, y las arrugas en la comisura de los ojos dibujan sobre su piel alas de mariposa.

La encuentro guapa.

Mi mujer apoya su cabeza en mi hombro y le acaricio el cabello.

En la nuca, en el nacimiento del cuello, tiene un pliegue de carne. En verano, cuando está morena, si inclina la cabeza hacia delante para leer, se ve una marca blanca, muy fina, como la del tirante de un bañador o de un collar.

Recorro con el índice el pliegue de piel y eso le pone a mi mujer la carne de gallina.

Durante el período en que me veía con Alix antes de haber hecho el amor con ella, a veces, en nuestra cama de Marsella, el fin de semana, por la noche o por la mañana, sentía un intenso deseo de mi mujer.

La desnudaba, aunque estuviera durmiendo.

Eso era el año pasado.

Besaba los pechos de mi mujer, el vientre de mi mujer, los párpados de mi mujer. Me ponía lírico al lamer el sexo de mi mujer —«De este sexo salió nuestra hija»— y la lamía con más ardor.

Se me ponía muy dura y durante mucho rato. No me faltaban ni la saliva ni el semen.

Hacía el amor con mi mujer aplastándola bajo todo mi peso y le cogía la cara entre las manos para verla gozar.

Llegaba a París y me precipitaba hacia el teléfono para ver a Alix.

¿Hago aún el amor con mi mujer? Alix me lo preguntó para que dejásemos de utilizar preservativos.

Con Alix, los seis primeros meses fuimos «prudentes», lo que no era sencillo, sobre todo porque yo no estaba acostumbrado.

Había comprado una caja de veinte preservativos en una gran superficie, en la sección de parafarmacia. Tenían un olor dulzón y costaba manipularlos. Cuando hacía el amor con Alix, me daba la impresión de tener una ventosa alrededor del sexo.

Me sorprendió que no tuviera preservativos escondidos detrás de los productos de belleza en un estante de su cuarto de baño.

Al final compró de otra marca en una farmacia, con antihistamínicos, porque temía ser alérgico al látex, yo que no soy alérgico a nada.

Me acordé de aquel tipo de la televisión que durante una campaña de prevención decía que había que hincharlos para comprobar que no estuvieran agujereados. Me parecía grotesco y Alix me dijo que en realidad no era necesario.

Como utilizábamos preservativos, como tenía que levantarme, desnudo, para ir a buscar uno al cuarto de baño, como había que rasgar el envoltorio e interrumpirlo todo, desenrollarlo presionando por abajo, como corría el peligro de que no consiguiera ponérmelo y perdiera la erección, los seis primeros meses no siempre penetraba a Alix con mi sexo.

En el fondo, me venía bien. Me parecía, y es un poco estúpido, que engañaba menos a mi mujer si penetraba a Alix con los dedos o con la lengua.

Pegando mi cabeza a su sexo.

¿Qué es lo que pensaba? ¿Que existían distintos grados en la infidelidad, como en las infracciones del código de circulación?

En caso de que la policía de la infidelidad me hiciera un control en la cama con Alix, podría enseñarle mis papeles y decir: «Señor agente, ha habido estimulación de las zonas vaginal y anal, pero sin penetración de mi pene.»

Y el agente, no sin ciertas advertencias, ¿me habría dejado continuar?

Antes de hacer el amor con Alix, me imaginé que hacía el amor con Alix.

Era la primera fase.

Me perdí en conjeturas sobre su sexo, su vello, su color. ¿Lo llevaba depilado? ¿Cómo? Ya le había visto el vientre un día en que se quitó el jersey enérgicamente y la camiseta se le levantó un poco. También los riñones cuando se agachó a coger el monedero de dentro de su bolso después de un almuerzo conmigo. Sabía que no llevaba tanga y que tenía los pechos redondos, se los había adivinado a través de una camisa blanca.

Con mi imaginación, había reconstruido el resto de su cuerpo.

La convocaba en la oficina cuando todos se habían marchado. Hay un ambiente distinto después de las ocho de la tarde.

Recorría el pasillo delante de mí, mirando los cuadros que colgaban de las paredes, y yo no encontraba un motivo válido para justificar su presencia.

Le ponía un vestido blanco, un poco transparente y fácil de quitar, con tirantes anudados en los hombros, aunque no fuera aún la época. Y un bolso en bandolera. Le recogía el cabello en un moño para despejarle la nuca.

Eran fantasías de hombre joven y me entregaba a ellas con placer.

Aquello no podía hacer daño.

Me concentraba en sensaciones concretas: soltarle los tirantes, acariciarle la piel, observar la reacción de ésta.

El deseo me atenazaba la garganta.

Me resultaba sencillo masturbarme en París, más sencillo, supongo, que para un hombre casado que vive toda la semana en su casa. Cuando imaginaba que hacía el amor con Alix, no siempre me hacía una paja.

El fin de semana regresaba a Marsella y deseaba a mi mujer.

Entre semana, en París, veía a Alix ante un café o una copa de vino, cada vez más a menudo.

Antes de encontrarme con ella, me prometía cosas que luego no cumplía: no pasará nada, no le pondré la mano en el hombro ni en el muslo, no le rozaré la barbilla, no haré durar nuestros silencios, pero acudiré de todos modos porque me apetece verla y eso me pone de buen humor.

Sentada frente a mí, Alix no sospechaba que ya habíamos hecho el amor diez veces por lo menos.

Me contaba lo que había hecho esa semana.

Estaba lo que Alix decía o hacía y mi interpretación.

Si me decía «He dormido mal», me preguntaba si había tenido insomnio pensando en mí.

Si dejaba la mano apoyada en la mesa junto a su copa, me preguntaba si lo hacía para tentarme a cogérsela.

Si la encontraba elegante, me preguntaba si se había esmerado porque sabía que iba a verme.

Deslizándolos en medio de bromas, empleábamos palabras excitantes, como «gozar», «placer», o «virilidad».

• • •

Después de nuestras citas, repasaba la escena diez veces, veinte veces, mentalmente.

Lo analizaba todo a fondo.

Cambiaba el final. Ya no nos separábamos en la acera frente al café, sino que íbamos a un hotel cercano. Me saltaba la escena con el recepcionista y comenzaba directamente cuando se abría la puerta de la habitación, como en las películas.

De camino al despacho, me acariciaba la línea que parte del lóbulo de mi oreja derecha hasta la barbilla, para imaginar lo que Alix había podido sentir cuando, con el índice, le acaricié la línea que parte del lóbulo de su oreja derecha hasta su barbilla.

Por regla general, fantasear es arriesgarse a la decepción.

Con Alix, mis fantasías alimentaron mi deseo, que a su vez provocó el suyo.

Cada vez que mi mente se conectaba con Alix, habría bastado con que me reprimiese entregándome a una partida de cartas en mi iPad, o telefoneando a mi mujer o a un amigo.

Habría podido chasquear los dedos cada vez que pensaba en ella, como hacía mi madre cuando, de pequeño, estaba en la luna.

• • •

Antes de penetrar a Alix, a veces le susurro al oído: «Voy a penetrarte.»

Me anuncio.

Al pronunciar la palabra «penetrar», retraso el acto algunos segundos, que se convierten en los más excitantes.

Alix me dice lo que le gusta y lo que le apetece.

Me hace preguntas cuando me toca el sexo o cuando me lo chupa: «¿Es mejor así o asá?»

Describe las partes de mi cuerpo que prefiere y la escucho con los ojos cerrados. Le gustan mis hombros y mi tatuaje azul en forma de estrella que a mí ya no me gusta, mis bíceps, mis nalgas, mis ingles y sobre todo mi sexo.

Le gusta que esté circuncidado.

Alix dice «tu polla» o «tu sexo», a veces «tu rabo».

Le gusta pronunciar las palabras «empalmarse», «follar», y las repite.

Le gusta que le hable de su culo.

Alix apoya la cabeza en mi vientre y me acaricia, mucho rato. Yo percibo su respiración.

Me recorre entero, alza la vista hacia mí y acecha mis reacciones.

Cuando se me pone dura, ella está seria.

Contempla mi sexo, lo roza, me hace una paja arrodillada, me lame, me chupa, se traga mi semen.

Una vez deslizó la lengua dentro de mi uretra y tuve un sobresalto, no era muy agradable.

¿Me encuentra reprimido? ¿Viejo?

Sé que ha tenido más parejas que yo.

Cuando Alix tiene la regla, no dejamos de hacer el amor. Se le ponen los pechos más grandes y calientes. Alrededor de sus pezones hay venas azules que parecen constelaciones.

Estrujó mi miembro entre sus pechos apretados, y sentí su piel granulada, como la tierra.

En la época de los preservativos, me parecía más sencillo penetrarla así.

La sangre que pierde sabe a hierro. Se seca bajo mis uñas y atraviesa la sábana ajustable hasta manchar el colchón.

Cuando no estoy con ella, Alix se hace fotos.

Me las envía por MMS o por mail, y el deseo se intensifica. Toda esa puesta en escena me excita mucho.

«¿Aún haces el amor con tu mujer?» Alix me lo preguntó al cabo de seis meses.

¿Habría debido decirle la verdad?

Alix y yo dejamos de utilizar preservativos.

Dejamos de interrumpir el momento.

Ya podemos hacer el amor en cualquier sitio.

En su cuerpo hay un lugar para mí. La penetro y ya no tenemos sexo, ni ella ni yo.

Ya no podemos volver atrás.

Hago el amor con Alix, hago el amor con mi mujer. Ya no sé a quién engaño con quién.

· · ·

Mis calcetines, mis calzoncillos, mi pantalón y mi grueso jersey gris están por el suelo de piedra. No me he quitado la camisa, pero me la he abierto del todo.

Mi padre está en casa y mi hija también, los oigo en la planta baja. No hemos cerrado con llave la puerta del despacho.

La piel de mi mujer es suave, la loción que se pone en el cuerpo después del baño huele bien. Tiene los muslos calientes.

Beso su vientre.

Le quito las bragas. La goma ha dejado una marca, una trencita, justo encima de su ombligo.

El vello púbico de mi mujer es negro y brillante. Lo acaricio con la nariz, con la boca, y se le acelera la respiración.

El sexo de mi mujer no está mojado. Ni siquiera húmedo.

No lo entiendo.

¿Por qué respira así?

¿Por qué no para de repetir mi nombre?

No me ando con rodeos: separo sus labios con mi lengua.

¿Era eso lo que ella quería? Hace un rato ha dicho: «Desde que regresaste no hemos hecho el amor.»

Me molesta, pero se me pone dura.

• • •

Hago el amor con mi mujer, estoy encima de ella, tiendo los brazos, alzo la pelvis y miro cómo mi sexo entra en el suyo.

Miro su rostro y, en un movimiento pendular, paso del uno al otro.

Me he quitado la camisa.

Se me ha quedado atascada en la muñeca izquierda por culpa del reloj. He tenido que arrodillarme para poner la manga del derecho, quitarme el reloj, abrir el botón y liberar mi muñeca.

Todo lo que antes nos hacía reír, la camisa que se resiste a que me la quite, nuestra hija, que nos llama desde la planta baja, nos hace sentir incómodos esta mañana.

Veo mi reflejo en la pantalla del ordenador.

Normalmente me gusta mirarme.

Cojo la cara de mi mujer entre las manos como a ella le gusta, me estrecha fuerte entre sus brazos y entre sus piernas, sus talones me golpean detrás de los muslos.

Mi mujer mueve las caderas cada vez más rápido y levanta las nalgas del sofá, debe de advertir que ya no la tengo tan dura.

Si quiero mantener mi erección, tengo que salir lo menos posible de su cuerpo y sobre todo no pensar en Alix.

Rememoro las imágenes que me han excitado hace un rato.

Me agito y sudo. Temo hacer daño a mi mujer, le pregunto si está bien, cambiamos de postura.

Mi polla se desliza. Estoy fuera, ya no la tengo lo bastante dura. Aprieto la base de mi sexo entre el pulgar y el índice para que se mantenga duro.

Ya no consigo penetrar a mi mujer.

Se incorpora sobre los antebrazos, no me atrevo a mirarla. Me masturbo cerca de su sexo, estoy arrodillado, me masturbo hasta hacerme daño.

Mi mujer pone una mano sobre la mía, me para.

Ya no la tengo dura.

Ya no hacemos el amor.

Me he levantado para ir al cuarto de baño.

Bajo la ducha, con el ruido del agua, no he oído entrar a mi mujer.

Ha abierto la mampara y se ha reunido conmigo.

Sin decir una palabra, me ha cogido de las manos la alcachofa de la ducha, se ha mojado el cuerpo, ha aumentado la presión del chorro y lo ha mantenido durante mucho rato contra sus pechos. Con la cabeza hacia atrás, se ha mojado el cabello, las gotas han dividido sus pestañas en triángulos.

En el cuarto de baño cada vez había más vaho. Mi mujer ha colgado la alcachofa por encima de nuestras cabezas y ha empezado a enjabonarme la espalda.

Mi sexo se apoyaba en su muslo, se estaba bien en sus brazos. El agua que me caía en la nuca estaba muy caliente.

Me he orinado.

La orina ha chorreado por las piernas de mi mujer, se ha mezclado con el agua y el jabón en el plato de la ducha, a nuestros pies.

Después, se me ha vuelto a poner dura.

Cuando el viernes por la noche llegué a Marsella, le envié un mail a Alix que había empezado a redactar mentalmente al bajar del avión.

Escribí «He llegado bien. Te llamo mañana», sin concretar la hora ni mencionar el asunto de la ventana, y acabé enviándole un beso, varias veces, dándole muchos detalles.

Un mail es mejor que un mensaje de texto.

El sábado por la mañana abrí los ojos bastante antes de que sonara el despertador y enseguida pensé: «Hoy tengo que telefonear a Alix.»

Puede que incluso fuera eso lo que me despertara.

Hacía demasiado frío fuera del edredón para levantarme, así que me quedé en la cama escuchando a mi mujer dormir profundamente.

Seguramente era el viento soplando fuera, en los árboles, que yo reinterpretaba en la superficie de mi sueño, pero me pareció oír la respiración de mi hija en su habitación y la de mi padre, más pesada, mezcladas con la respiración de mi mujer, al unísono.

Si conseguía armonizar mi respiración con la de mi familia, ¿podría volver a conciliar el sueño?

En mi mesilla de noche, mi iPhone estaba en modo avión, negro y silencioso.

Desayuné solo, a la luz de la pantalla de mi teléfono, borrando uno a uno, sin releerlos, todos los mensajes de texto y los mails de Alix.

Al cargar los mensajes más antiguos, pude comprobar la frecuencia de nuestros contactos. ¿Cuánto tiempo habíamos estado, Alix y yo, sin hablarnos? Desde el mes de abril, nunca más de tres días seguidos.

Tenía ganas de escribirle, pero no se me ocurría nada.

¿Y si la telefoneaba? Habría podido dejarle un mensaje con la voz ronca de sueño o, si ella no había apagado su móvil, despertarla con palabras de amor.

La luz del pasillo se encendió y reconocí los pasos de mi mujer por el crujido de los peldaños de la escalera.

Mi afición a los hipermercados de provincias se acabó cuando me mudé a Marsella. Durante mucho tiempo fueron para mí sinónimo de vacaciones y de alpargatas agujereadas. Siempre era el primer voluntario para deambular por los pasillos de los yogures y pasear, en la parte delantera de un carrito, a los hijos de los amigos con los que compartía alojamiento.

El sábado hacía tanto calor en el Carrefour de Bonneveine que mi mujer se había anudado el anorak alrededor de la cintura. Cuando se inclinaba para mirar los productos de las estanterías inferiores, el cordón de la capucha le arrastraba por el suelo.

Habría preferido quedarme en casa y leer la novela que Alix me había prestado, pero no podía dejar que mi mujer fuera a hacer la compra sola.

Aunque era yo quien debía llamar, consultaba a menudo mi iPhone y aprovechaba cuando me enviaban a otra sección o a hacer cola en la carnicería para bajarme los mails. Mientras se cargaban, con el corazón acelerado, cedía mi turno a la persona de detrás.

Ningún mail de Alix.

No sabía si me sentía decepcionado o aliviado.

La llamada que debía hacer a Alix cobró una importancia enorme en el transcurso de ese día; no dejé de posponerla.

Soñaba con una llamada tierna a la que sería imposible poner punto final de tantas cosas como teníamos que decirnos.

Temía una conversación que no acabaría de arrancar y los silencios de Alix.

No sabía qué contarle. ¿Qué novedades había desde mi llegada a Marsella? ¿La preparación del viaje a Nueva York? Qué contestar a la pregunta «¿Estás bien?», en la que se sobreentendía «¿Estás bien lejos de mí?».

No quería colgar con mal sabor de boca y el deseo de volver a llamar inmediatamente para borrar la llamada anterior con una nueva llamada que aún podía ser peor.

Quería colgar con una sonrisa, como antes.

Al final de la tarde, me pareció más sensato posponer una vez más la llamada hasta el día siguiente, e inmediatamente después de enviarle un mensaje de texto, lo lamenté.

No me contestó.

Habría sido mejor llamarla, aunque fueran cinco minutos.

Ayer por la mañana, justo cuando me disponía a salir para telefonear a Alix y empezar el día con buen pie, mi mujer entró en nuestra habitación para decirme que mi padre no se encontraba bien.

Me sorprendí deseando que su nivel de glóbulos rojos fuera demasiado bajo para que pudiera ir a Nueva York.

En ese caso, habríamos tenido que cancelarlo todo.

Llamamos al médico, que se presentó bien avanzada la mañana, y todo volvió a la normalidad. Cuando le pregunté si no era peligroso que mi padre viajara, me tranquilizó.

Por el contrario, me aconsejó que disfrutásemos de nuestras vacaciones con absoluta calma.

· · ·

Llegó la hora del almuerzo y mi hija y yo habíamos planeado ir al centro, por la tarde, para buscar un regalo para su madre. La perspectiva de estar los dos solos me regocijaba.

Aparqué el coche delante de una lavandería y, al cerrar la puerta, reconocí el olor de Alix. Supongo que alguien debía de usar el mismo detergente que ella. Por la tarde, mientras mi hija trotase de una tienda a otra, ya encontraría un momento para llamarla.

Fuimos a la FNAC y nos olvidamos por completo de lo que nos había llevado allí. Yo amontonaba DVD en las manos de mi hija: «¿Has visto esta película?», «¿Conoces a este director?», y elegimos la película para esa noche.

«Y para mamá, ¿qué cojo?» Fuimos a mirar a la sección de libros buenos.

En el bolsillo de mi abrigo, mi iPhone empezó a vibrar.

Era Alix.

Me gusta que me telefonee, eso es que piensa en mí.

Habría bastado con que me fuera a la sección de música y charlase un poco con ella, pero no quería sentirme culpable al descolgar y empezar con un «Iba a llamarte».

Si estaba disponible para hablar con ella en ese momento, entonces, ¿por qué no la había telefoneado? Era más lógico estar ocupado e ilocalizable.

A cada vibración, vacilaba. Tenía ganas de oír su voz.

Podía descolgar y decirle «Ahora no puedo hablar, te llamo más tarde», pero para descolgar y decirle «Tengo que colgar», me parecía mejor no descolgar.

Me imaginaba a Alix al otro lado de la línea preguntándose a cada tono si habría otro más. Le recriminaba que no me hubiese dejado tiempo para volver a llamarla.

La cabeza de mi hija sobresalía entre dos expositores promocionales, y de todos modos yo había pensado hacerlo más tarde.

La vibración que anunciaba un mensaje de voz tardó un poco, sin duda a causa de la mala cobertura de la FNAC. Razón de más para no descolgar y evitar una conversación entrecortada de «Hola, hola, no te oigo».

Durante unos instantes pensé que no me había dejado ningún mensaje.

Era mala señal, una llamada perdida sin mensaje.

La voz de Alix sonaba dulce y triste, la escuché tapándome el otro oído con la palma de la mano.

En su mensaje, entrecortado de silencios, me pedía que le devolviera la llamada porque estaba deprimida.

«¡Te echo en falta!»

Esperaba que yo estuviera bien. La noche anterior había ido a cenar a casa de unos amigos. Me mandaba un beso.

Justo antes de colgar, como si firmase una carta, Alix dijo su nombre.

Le mandé un mensaje de texto: «En la FNAC, con mi hija, te llamo cuando regrese.»

Escribí también: «Te cubro de besos.»

A Alix le encanta cuando menciono el hecho de que estoy con mi hija, porque eso quiere decir que no estoy con mi mujer.

Respondió enseguida: «Hasta luego, entonces.»

Hasta luego.

Alix ha debido de hacer cálculos: está en la FNAC con su hija, son las dos y media de la tarde, pongamos que acaban de llegar. Sabe que en la FNAC puedo quedarme una hora, una hora y media como mucho, y que después me pongo histérico. Las cuatro. El domingo previo a la Navidad habrá mucha gente en la caja. Las cuatro y media. El camino hasta el coche, quizá con uno o dos recados todavía por hacer, ya serán las cinco. Puede haber mucho tráfico, pero no tendré que buscar aparcamiento cerca de casa porque tengo garaje. Las cinco y media.

Alix tenía tres horas por delante. ¿A partir de qué hora se ha puesto de nuevo a esperar?

Ha hecho ciertas comprobaciones, como llamar a su teléfono móvil desde el fijo y viceversa. Hay cobertura en todo su apartamento, siempre la ha habido, incluso en el cuarto de baño.

El volumen del timbre de su teléfono fijo y del móvil está al máximo. La batería del móvil está cargada y se ha cerciorado varias veces, como obedeciendo a un impulso obsesivo-compulsivo, de que el teléfono fijo esté bien encajado en su base.

Ayer por la noche cenamos a las ocho y diez.

Puse la mesa, y cada vez que faltaba sal, pimienta, un cubierto para servir, brincaba de mi silla para ir a buscarlo.

A las nueve menos veinte, recojo la mesa.

Imagino a Alix, sola en su gran mesa. Esta noche no ha salido a cenar, no dos noches seguidas.

Seguramente habrá encargado sushi y abierto una botella de champán para darle un aire más festivo a la velada.

«¿Estás bien?», me pregunta mi mujer poniéndome una mano en el hombro.

«Sí, estoy bien, deja, ya lo hago yo», y le cojo un plato sucio de las manos.

En la cocina, enjuago los platos con un hilillo de agua ardiendo antes de alinearlos en el lavavajillas. Cuando acabo, tiro del tapón del desagüe y quito del fregadero los restos de espuma y los de nuestra cena, empujándolos hacia el sumidero. Después de rociarlo con Cif, paso la esponja por el banco de trabajo, la esponja azul, no la verde, que es sólo para la vajilla, a menos que sea al revés. La verdad es que siempre confundo esas dos esponjas.

Cuando apago la luz, tengo las yemas de los dedos arrugadas por culpa del agua caliente, y el lavavajillas ronronea.

Todos se han instalado en el salón para ver el DVD que hemos comprado con mi hija, incluso mi padre se ha sentado encogido en un sillón, porque no quiere molestar. No estoy seguro de que pueda ver bien la tele desde donde está.

«Vente al sofá. —Insisto—: Hay sitio.» Mi mujer toma el relevo y luego le toca a mi hija. Mi padre acaba por cambiarse de sitio.

«¿Podemos poner la película? ¿Ninguna objeción? ¿Ningún pipí?», pregunta mi mujer, con el mando de la tele en la mano.

Sí, yo. Tengo que hacer una llamada.

Después de poner en marcha el DVD, mi mujer deja el mando de la tele en la mesa baja, se quita los zapatos y viene a acurrucarse a mi lado.

Habría podido aprovechar los tráileres de películas para telefonear a Alix. Habría podido decirle «Pienso en ti y te mando un beso» desde detrás de la puerta cerrada de la cocina, antes de venir a sentarme junto a mi mujer y extender el brazo izquierdo para que recueste la cabeza en mi hombro.

Puede que Alix también esté viendo una película, en la cama, en su ordenador. O haya optado por un episodio de una serie cómica porque le cuesta concentrarse.

Consulta la hora: las nueve y cuarto.

¿Por qué no me ha llamado él todavía?

Alix habrá fregado los platos con su móvil colocado junto al fregadero por si acaso yo llamaba y un trapo al hombro para secarse las manos. ¡Es una pantalla táctil y no va a perder mi llamada por tener los dedos mojados!

Pero lo más probable es que no haya tenido que fregar los platos: habrá comido el sushi directamente de la bandeja de plástico.

Luego, para entretenerse, se habrá preparado la mesa del desayuno: el mantel individual, el plato, la servilleta, una taza y los cubiertos. La cafetera está llena de agua y el filtro en su sitio. Un pomelo colocado sobre una tabla de madera con un cuchillo, y un bote de miel al lado. La mantequilla ha preferido dejarla en la nevera.

Ya no hay nada más que hacer en la cocina y Alix apaga la luz y se va a su habitación con el teléfono móvil en la mano.

Imagino los lugares más descabellados a los que se lleva el teléfono móvil.

En equilibrio sobre el lavabo, con la pantalla de cara a la cabina de la ducha, como en un acuario, Alix quizá haya limpiado de vaho la mampara de cristal para conservar el teléfono dentro de su campo de visión mientras se duchaba.

Lo que teme: por fin suena y soy yo, pero no llega a tiempo por un tono, por un segundo.

Se pone furiosa.

Vuelve a llamarme inmediatamente, pero, como estoy dejándole un mensaje, le salta el contestador. Sabe que aún tiene una última posibilidad de pillarme entre el momento en que cuelgue y el instante en que vuelva con mi familia.

Entonces llama otra vez, y otra vez, y otra vez.

Desde que me marché, Alix evita las zonas sin cobertura. Sube y baja por las escaleras, prefiere el autobús al metro, o bien camina.

No ha ido al cine, de todos modos no hay gran cosa que ver ahora mismo. No ha ido a nadar, aunque son las vacaciones escolares y la piscina, abierta todo el día, debe de estar desierta. No más de dos personas por carril, lo ideal.

Alix acorta todas sus conversaciones telefónicas, por más que tenga la función de llamada en espera.

A partir de las diez de la noche ya no contesta. No escucha los mensajes. Deja la línea completamente libre para mí.

Tengo un tono distinto.

¿Ha llegado incluso a rechazar llamadas?

¿Qué ocurriría si yo telefonease al mismo tiempo que otra persona? Eso podría provocar un embotellamiento en la línea. ¿Quién sonará y a quién le saltará el contestador?

Alix prefiere no pensar en esas cosas.

· · ·

Son las diez y media, la película no tardará en acabar.

No hay perro que sacar a pasear ni cubos de la basura que bajar.

Hago la lista de todas las ocasiones que he tenido para llamar a Alix. Cuando he dejado a mi hija en la panadería era ideal: había cola y he tenido que esperar quince minutos.

He llamado a la oficina.

Las once ya, Alix se habrá acostado y estará leyendo sin estar realmente concentrada y releyendo varias veces la misma frase, como en la playa.

Tendría que apagar la luz para dormir, pero teme no conciliar el sueño.

Cinco minutos más, una página más. Él podría telefonear.

Ha dejado su iPhone sobre la almohada, a su lado.

Mi iPhone está en modo vibración en el bolsillo derecho de mi pantalón. Todo mi muslo, desde la ingle a la rodilla, está sensibilizado. Temo recibir un mensaje de texto, pero mi teléfono no vibra, excepto por un aviso de *Le Monde* que me sobresalta.

Mi última esperanza estriba en que mi mujer y mi hija suban a acostarse antes que yo. Mi padre ya está en la cama. Entonces apagaría la luz y, en la penumbra, telefonearía a Alix.

Los títulos de crédito de la película están desfilando. Mi mujer se despereza e inicia un movimiento hacia sus zapatos mientras mi hija saca el DVD.

La tele pasa automáticamente a un canal analógico en el que ponen un programa nocturno de entretenimiento. El volumen sobresalta a mi mujer, que se detiene en su impulso y levanta los ojos para ver quiénes son los invitados.

Mi hija baja el sonido y mi mujer vuelve a echarse hacia atrás para instalarse confortablemente, con la cabeza en mi hombro y los pies en el sofá.

Aunque les pican los ojos, mi mujer y mi hija quieren prolongar la velada. Espero hasta que una de las dos se levanta para calentar agua y preparar una infusión.

Digo «Estoy cansado» para alentar un impulso hacia el piso de arriba y desalojo a mi mujer de mi hombro.

«Ve a acostarte, cariño, enseguida voy.»

Podría subir y llamar a Alix en voz baja desde nuestro dormitorio, al acecho, dispuesto a colgar al primer crujido de los peldaños de la escalera.

Pero no tengo ganas de llamar a Alix en voz baja.

Podría ir al fondo del jardín, incluso en mangas de camisa, pero, si mi mujer me busca y me llama, no quiero colgar precipitadamente después de decirle a Alix: «Tengo que dejarte, tengo que dejarte.»

Cabe el pretexto del paseo para bajar la cena, pero ya he hecho la digestión hace rato y mi mujer dirá que me acompaña. Si le digo que voy a fumar un cigarrillo fuera, me dirá que fume dentro, que hace demasiado frío.

Quizá Alix haya apagado la luz y esté tumbada en la oscuridad, pero sin dejar de esperar. Estará diciéndose que descolgará entre susurros y será tan dulce como si yo estuviera en la cama con ella. Estará diciéndose que la conversación se volverá un tanto erótica y que haremos el amor por teléfono.

Cuánta tenacidad demuestra al esperar de esa forma. Ya no sabe si debe o no esperar. No quiere sentirse decepcionada, triste o enfadada conmigo. No después de toda esta espera en vano.

¿Sabe por lo menos qué es lo que todavía espera?

Le voy marcando plazos, «mañana» o «hasta luego», como balizas a las que se aferra cada vez hasta la siguiente.

A las doce menos diez, le he mandado un mensaje de texto desde el cuarto de baño de la planta baja. He escrito «lo siento mucho» varias veces, he escrito «mañana» una vez más, pero esta vez me he jurado que lo cumpliría.

Le he mandado un beso muy muy tierno, e inmediatamente después de que el mensaje de texto saliera, he apagado mi teléfono móvil y lo he dejado sobre la biblioteca, en el salón.

Quiero a mi mujer y no era desgraciado cuando co-
nocí a Alix.
   Quiero a mi mujer desde hace diecinueve años.
Formamos una pareja estable.

Quiero a mi mujer y sé compartimentar: están París y
Marsella, mi trabajo y mi familia, mis amigos y nuestros amigos en común. Sin embargo, en el entorno de
mi mujer no hay nadie que yo no conozca, o eso creo
al menos.

Quiero a mi mujer y echo en falta a Alix.
   Culpo a mi mujer cuando no veo a Alix y entonces en casa me vuelvo desagradable.

• • •

«¿Y si abandonara a mi mujer?» Ya me he planteado esa pregunta con una mezcla de miedo y excitación, como frente a una película de terror.

Me gusta decir «mi mujer». Cuando supe que Annie Girardot había muerto, fue a ella a quien telefoneé primero.

Quiero a mi mujer, pero no me desplazo de una habitación a otra para llamarla a la mesa, para preguntarle «¿Dónde has puesto...?», avisarla —«Volveré a las...»—, pasarle el teléfono inalámbrico. La llamo a gritos por la casa.

Puedo rematar mis frases con un «Ya te lo dije» mientras alzo la vista al cielo. En esos casos, su voz adopta un tono más agudo y separa las sílabas de todas las palabras, incluso las más cortas, incluso las sílabas que no existen: «Sí-í.»

Quiero a mi mujer, pero nos levantamos la voz en los lugares públicos, algo que hace sentirse incómoda a mi hija.

Un sábado por la tarde fuimos a recogerla en coche a una fiesta y acompañamos a dos de sus amigas. Mi mujer y yo discutíamos, no recuerdo ya a propósito de qué. Después de dejar a sus dos amiguitas, mi hija nos dijo: «Me habéis avergonzado.» Exploté.

• • •

Quiero a mi mujer, pero me lleva la contraria delante de su hermana diciendo con el ceño fruncido «Exageras» cuando lo único que pretendo es hacerlas reír.

Me gusta dormir con mi mujer. Antes de que mi padre se instalara en casa, se fue una noche a la habitación de invitados porque yo roncaba demasiado fuerte. Me acosté con mi mujer, pero me desperté solo. Estaba desconcertado y temí que se convirtiera en un hábito, dormir sin mí; me pareció un poco fuera de lugar por su parte, habida cuenta de las pocas noches que pasamos juntos. Habría podido ponerse unos tapones para los oídos.

Me gusta mi mujer y su abrigo azul marino y su ropa interior de color claro.
    La encuentro graciosa.
    Me gusta cuando imita a nuestra hija.

Me gusta mi mujer con los adolescentes y, antes de eso, con los niños. Cuando nuestra hija cumplió seis años, preparó un pastel de chocolate y, en la mesa, lo adornó contando una historia. El azúcar glas era nieve. Incluso yo estaba ansioso por conocer el final y ya no pensaba en comérmelo.

131

· · ·

Quiero a mi mujer, pero no me ofrezco sistemáticamente a llevarle la bolsa.

En la mesa no le ofrezco sistemáticamente el último trozo, el último sorbo, la última loncha, o bien lo hago de una forma que se siente obligada a rechazarlos.

Quiero a mi mujer y, desde que la engaño con Alix, me enfado cuando nuestra hija o mi padre la critican.

No quiero verla sufrir.

Algunos días noto una presión en el pecho, pero no sufro insomnio. Al contrario, duermo profundamente, casi como si estuviera K.O.

Le envío mensajes de texto cariñosos. Nunca le mando la misma foto que a Alix, ni envío un texto sucesivamente a la una y luego a la otra, sino que dejo un intervalo de una hora como mínimo. Son las reglas que me he impuesto.

Me gusta el olor de la crema que mi mujer se extiende en la cara por la noche antes de acostarse. En la cama, mis labios resbalan sobre su piel porque la crema no ha penetrado del todo.

132

Corta los tubos en dos con las tijeras para apurar el interior y no tirarlos mientras aún queda algo. Alrededor de su lavabo, los tubos de crema parecen muñecas rusas mal ensambladas.

Quiero a mi mujer y la nevera debe estar llena y el cesto de la ropa sucia debe estar vacío.

En el coche, no me pide que conduzca más despacio, no pone la mano en el salpicadero cuando freno como hacía mi madre con mi padre. Cuando tenemos prisa, me anima a estacionar en las zonas reservadas para carga y descarga.

No me pidió que dejase de fumar ni cuando ella dejó de fumar, ni siquiera desde el cáncer de mi padre.

Quiero a mi mujer, me casé con ella después de nueve años de convivencia. La pareja que vivía en la casa antes que nosotros era una pareja mayor. Me pareció un buen presagio.

Frente a la iglesia, al salir, los escasos invitados tiraron arroz.

Quiero a mi mujer y Alix lo sabe.
¿Por qué no abandono a mi mujer si no?
Mi hija es mayor.

Me gano bien la vida, puedo permitirme pagar una pensión alimenticia.

Podría dejar a mi padre en una residencia, incluso en París.

Alix me asegura que no siente la menor curiosidad con respecto a mi mujer y no la creo. Dice que no la ha buscado en Google. De todos modos, no habría encontrado nada.

Al principio, apartaba la mirada cada vez que yo encendía el ordenador y yo no entendía por qué. No quería ver a mi mujer en mi fondo de pantalla, pero yo no soy hombre de fondos de pantalla.

Sin embargo, Alix manifiesta interés por mi hija. Pregunta por ella con regularidad. A petición suya, le enseñé fotos, que miró durante mucho rato, sonriendo.

Alix se alegra de saber que mi hija es buena alumna.

Cuando se acercaba su cumpleaños, me recomendó varios libros y cómics y eso me hizo sentir incómodo.

De algunas películas dice Alix: «¡Ésta es una película para ir a verla con tu padre!»

No comprende que no pase fines de semana en París a solas con mi hija.

· · ·

Imagino que le gustaría conocerla.

Alix quizá ve en mi hija a una posible aliada.

Si pudiera conocerla...

Alix sabe que puede seducir a una adolescente con su ropa, su apartamento, su trabajo y su modo de vida.

Podrían pasar tiempo juntas, Alix maquillaría a mi hija y le daría ropa que ella ya no se pone.

Se convertiría en «la amiguita de mi padre».

A Alix le gustaría llevar a mi hija a la piscina, reír mientras se cambian en los vestuarios y enseñarle cómo funcionan las taquillas con código. Llevar su toalla y ayudarla a ponerse el gorro de baño, llamarla «tesoro», «bichito» o «princesa».

Al verlas llegar, el monitor de natación las tomaría por hermanas y ambas se sentirían halagadas por distintos motivos.

Hablarían de chicos, mi hija se confiaría a Alix mientras nadasen y le contaría cosas que no le dice a mi mujer. Le haría preguntas íntimas, enrojeciendo un poco, antes de meter la cabeza en el agua.

Nadarían como buenas amigas en el Cercle, la una de espaldas, con una tabla bajo la cabeza, la otra boca abajo, sosteniendo una tabla con los brazos estirados, parloteando.

En la ducha, en los vestuarios, mi hija echaría alguna mirada furtiva al cuerpo de Alix, un cuerpo de mujer joven frente a su cuerpo de adolescente.

Se secarían el pelo juntas y Alix, con su peine, desenredaría el de mi hija. Le prestaría su crema para la cara y también bálsamo labial.

Ya en la calle, con sus toallas y sus bañadores amontonados en la misma bolsa, ambas con un gorro de lana en la cabeza para no coger frío, caminarían alegremente hacia el apartamento de Alix, la una con la embriagadora sensación de ser mayor y la otra con la ligereza de la legitimidad.

Esta noche, después de haber leído mi mensaje de texto, a Alix le habrá costado conciliar el sueño. Para maltratarse un poco, se habrá preguntado qué clase de mujer es mi mujer.

Sin duda es alguien que no está mal, puesto que hace diecinueve años que me acompaña.

El sueño la rehuía, y Alix nos ha imaginado a mi mujer y a mí en nuestra amplia casa.

¿La llamo «cariño» o «mi amor»? ¿Nos reímos en familia, por la noche, en la mesa, alrededor de una rica cena que mi mujer ha preparado? ¿Al poner la fuente en el centro de la mesa, mi mujer dice: «¡Cuidado!, está caliente»?

¿De qué temas tratan nuestras conversaciones?

Cuando se levanta para ir a buscar algo a la cocina, como una mujer enamorada, ¿me pone al pasar una mano en el hombro?

Y después de la cena, cuando vemos una película en el sofá del salón, ¿le acaricio la nuca como lo hago con Alix cuando vemos una película en la cama, en su ordenador?

¿Masajeo suavemente la planta de los pies de mi mujer mientras ella suspira, con la cabeza hacia atrás, apoyada en el reposabrazos, y dice «¡Cómo me gusta!» con los ojos entornados y sin ver la película?

Alix nos ha inventado todo un mobiliario y seguro que se ajusta bastante a la realidad.

El sábado por la noche supone que tenemos invitados. Nuestros amigos o mi cuñada y su marido deben de llegar con una botella de champán fresca y un postre.

Es mi hija quien corre a abrir la puerta. En la entrada, y en medio de la excitación ante la velada que comienza, les dice que le den los abrigos.

También es ella quien sirve el aperitivo y, rodeando la mesa, nos presenta la bandeja a cada uno de nosotros.

Algunas noches se queda a cenar con nosotros y escucha con interés las conversaciones de los adultos.

¿Qué ocurre en nuestro dormitorio, después de la cena y de la película, cuando me reúno con mi mujer y aparto el edredón para deslizarme a su lado?

Alix se da la vuelta en su cama, furiosa y con el corazón latiéndole en las sienes. Se levanta para darse una ducha.

La técnica de la ducha helada en las piernas me la enseñó ella. Cuando vuelve a acostarse, la sensación de la sangre circulando, como un hormigueo, la ayuda a conciliar el sueño.

Pero el sueño no llega y, como de todos modos la noche está perdida, Alix organiza un encuentro de tres, sólo por esta vez, y se jura que ya no lo hará más. Como cuando, de pequeña, separaba los dedos para dejar pasar las imágenes de la televisión que le daban miedo.

El agujerito para mirar, sólo esta vez.

La escena tendrá lugar en la fiesta de cumpleaños de la mujer de mi socio, es plausible. Habrá mucha gente celebrando sus cuarenta y cinco años.

Nos encontraremos los tres, formando un triángulo, en el salón, con una copa de champán en la mano. Un triángulo isósceles más que un triángulo equilátero, puesto que mi mujer y yo estaremos frente a Alix, en el vértice.

Se presentarán estrechándose la mano, la de Alix estará fría y la de mi mujer, húmeda.

Alix pensará mucho en su indumentaria porque querrá estar muy guapa ante mi mujer y ante mí. La ventaja de esta clase de puesta en escena estriba en que es posible escoger cualquier clase de ropa.

Alix se fijará enseguida en la alianza del anular de mi mujer cuando ésta se lleve la copa a los labios.

Mi mujer dirá «Mi marido me había hablado de...» y Alix no se inventará el resto de la frase. Lo único que le interesa son estas dos palabras: «Mi marido.»

De la boca de mi mujer sin rostro, a quien Alix le habrá prestado la larga melena negra de mi hija, saldrá esta letanía: «Mi marido, mi marido, mi marido...»

Alix estará demasiado exhausta para sentir celos y estudiará a mi mujer, querrá acercarse todo lo posible, como cuando uno se golpea contra una pared. Observarla y tocarla.

¿Así que eres tú? ¿Eres tú aquella a quien no abandona por mí?

Alix le hará decir a mi mujer: «Tiempo libre en París, sin niña, ¡es un sueño! Yo también lo disfruté antes de Marsella. Vivíamos en el distrito sexto. A menudo echo en falta París. Disfrútelo, ¡es usted tan joven!»

Alix encontrará a mi mujer divertida, inteligente y guapa.

Habrá buen rollo entre ellas.

¿Para ponerme en una situación embarazosa?

Mi hija vendrá a deslizarse en el triángulo, con una copa de zumo de naranja en la mano, entre su madre y yo. No reconocerá a Alix, porque nunca han ido juntas a la piscina.

En su cama, Alix mira la hora y da la vuelta a las almohadas. Al visualizarnos el uno al lado del otro, a mi mujer y a mí, se dice, con la mirada clavada en el techo de su dormitorio, que no querría estar en el lugar de mi mujer.

Porque soy un hombre que engaña a su mujer.

Pero de todos modos, por una cuestión de orgullo, Alix le hará decir a mi mujer en el taxi de regreso «¡Qué guapa es la cuñada de tu socio!», de forma muy bondadosa, casi en un tono maternal, y yo me veré obligado a asentir, a regañadientes y turbado.

¿En qué piensa Alix los fines de semana, cuando se cruza en la calle con parejas que caminan cogidas de la mano?

¿En qué piensa cuando una de sus amigas le anuncia que va a casarse o que está embarazada?

¿Se pregunta cuándo le llegará su turno?

¿Se siente Alix frustrada?

Del nombre Alix, la letra que prefiero es la «x».

«Alix» es «Alice», pero más bonito.

Es alegre y divertido.

Es un nombre que uno recuerda. «Alix» no es «Julie» o «Marie».

Sentado a mi escritorio, rasco con las uñas los restos de una etiqueta medio despegada de la portada del libro de geografía de mi hija y murmuro: «Alix.»

Toda mi boca se ve involucrada, mi lengua se enrosca contra el paladar.

Si pronuncio «Alix» esbozo una sonrisa. No puedo decir «Alix» poniendo boquita de piñón, no hay diminutivo posible.

Es Alix.

Cuando estoy con ella, no me canso de repetir su nombre como si, cada vez, dijera: «Mi amor.» A veces separo la segunda sílaba y dejo deslizarse la «x» en mi boca mucho rato.

·   ·   ·

A Alix le gusta decir: «¡Soy una mujer enamorada!»

Cuando me besa, lo hace con la lengua y siente escalofríos y mariposas en el estómago.

Cuando se acuesta, tiene ganas de hacer el amor. Y al despertarse por la mañana también.

Cuando hacemos el amor, disfruta.

Si vamos al cine y ya no quedan entradas, si salimos a pasear y se pone a llover, si vamos a un restaurante y está cerrado, si después de haber llamado a varios taxis ninguno se ha parado, se desespera.

Ante una serie de contratiempos, tuve la mala pata de decir «No tenemos suerte», y Alix se enfadó: «¿Por qué dices eso? ¡No digas eso! ¡No quiero que digas esas cosas!»

Alix está muy bien o muy mal. Dice «siempre» y «nunca».

No da las gracias, sino muchísimas gracias.

Cuando Alix se pone el picardías de color marfil —yo pensaba que era blanco roto, pero es marfil y no es lo mismo— que pertenecía a su abuela, yo no pienso en absoluto en su abuela.

Me excita mucho.

No la desnudo y hacemos el amor.

Hemos desgarrado el picardías cinco veces en el mismo sitio, donde el tirante izquierdo va cosido a la espalda.

Alix ya no lo lleva a que se lo arreglen. Después de dos veces, le daba vergüenza. Ahora prefiere volver a coserlo ella misma.

Con la cabeza apoyada en mi escritorio y los ojos cerrados, acaricio la espalda de Alix, que lleva puesto el picardías. Por debajo del omóplato izquierdo queda el tirante recompuesto varias veces. El hilo no tiene exactamente el mismo color y la puntilla está un poco desgarrada.

Me detengo largo rato, con la yema de los dedos, en la costura visible del tirante remendado.

Todos los esfuerzos de Alix me conmueven porque no son esfuerzos y porque son para mí.

Hay que beber el mejor vino en copas grandes, un chiste que no me hace reír es un fracaso, no dudará en atravesar todo París para comprar el *babà* al ron más reputado, la observación de un vigilante de museo, «Señorita, no puede usted sentarse aquí», la hará rehuir mi mirada durante diez minutos por lo menos.

En la calle, cuando doy un traspié, es en el momento en que ella mira hacia otro lado.

• • •

Al principio de nuestra historia, intentaba quedarme en París. Nuestras noches eran cortas y yo dormía la siesta. Un sábado por la tarde, el ruido de las obras en el piso de arriba me despertó.

Alix subió a hablar con los operarios.

No se detuvieron, pero Alix subió.

Tres veces por semana, Alix va a nadar.

Registrando sus armarios, escondido detrás de sus jerséis de invierno, encontré el DVD *En forma con Claudia Schiffer, el método completo.*

Alix se tiñe las canas, pero cuando le pregunto si ha ido a la peluquería me contesta que no, que no se ha hecho nada en el pelo, que debe de ser la luz. Enrojece ligeramente antes de cambiar de tema.

Cuando estamos fuera, la sorprendo mirando su reflejo en un escaparate o, mientras estoy diciéndole algo, en mis gafas de sol.

Por la mañana, en su cocina, mientras espera a que salga el café, se contempla en la máquina cromada: «¿Qué ha cambiado desde ayer por la noche?»

Alix tiene treinta y un años, dice que quiere hijos porque teme no tenerlos, pero en el metro los cochecitos la molestan, las mujeres que dan de mamar en público le resultan chocantes, y las que hablan de sus hijos entre ellas la aburren.

Que yo sepa, ninguna de sus historias de amor ha durado más de dos años. Nunca ha vivido con un hombre.

Cuando recibió la carta con los resultados de mi análisis del VIH, dejó mucho tiempo el sobre encima de la mesa de la cocina, con mi nombre escrito por encima de su dirección. Aunque no le gusta el desorden, en su apartamento no toca mis cosas, como si fueran pruebas.

Le gustaría que la acompañase al mercado para besarme en los pasillos, con la cesta llena en la mano.

Alix dice «Me gusta la cotidianidad» porque, en nuestro caso, la cotidianidad es exótica.

No somos una pareja.

Nuestros dos nombres no aparecen en la etiqueta de al lado del interfono del portal de su casa, el mensaje saliente del contestador de su teléfono fijo no anuncia: «Ahora mismo no estamos en casa, pero podéis dejarnos un mensaje», no tengo voz ni voto sobre la disposición de los muebles en su apartamento ni sobre el color de las paredes. Salvo el camarero del restaurante indio de cerca de su casa, nadie le pregunta por mí. No hacemos vida social juntos ni conocemos la excitación de un proyecto en común. No tomamos ninguna decisión juntos.

• • •

Estoy casado y tengo cincuenta y cuatro años.

Alix es libre y no me rechaza.

No la obligo, jamás la he obligado.

No la he ayudado a resistir.

Las primeras veces, cuando la llevaba hasta su cama besándola, sentía una ligera aprensión. ¿Y si esta vez cambiara de opinión? En el último minuto. Cuando aún no estamos desnudos del todo y tengo una fuerte erección.

Nunca le he dicho: «Voy a dejar a mi mujer.»

Nunca he empezado ni una sola frase con «Te prometo».

He dicho lo contrario, y es un anzuelo.

Cuando hacemos el amor, me quito el reloj porque temo hacerle daño.

No me quito la alianza y me pregunto si, cuando la acaricio, percibe esos escasos milímetros de metal en su piel.

Qué momento tan incómodo la noche en que, al salir del cine, se entusiasmó: «¡Es luna nueva! ¡Hay que tocar oro!», y no teníamos más que mi alianza al alcance de la mano.

En la calle, si nos cruzamos con algún conocido suyo, me alejo unos metros y finjo hablar por teléfono o recibir un mensaje de texto para evitar una conversación a tres.

En presencia de Alix, no conjugo los verbos en futuro; aunque pueda parecer anecdótico, es importante para mí. Digo «Te llamo en cuanto llegue» en lugar de «Te llamaré».

Desde el principio, nos vemos sin estar obligados a tener éxito con nuestra historia porque estoy casado.

Hemos aprendido a conocernos sin que haya nada en juego.

Libremente.

Es muy fuerte.

Alix se siente viva y yo también me siento vivo.

Cuando no estamos juntos nos falta algo.

Ni una sola vez me he tumbado junto a ella sin desearla. Hacemos el amor y la cabeza me da vueltas.

Porque es ilegítimo, nuestro vínculo está protegido.

Alix tiene la exclusividad.

No hay ni amigos ni familia que interfieran. Tampoco hijos.

Estamos ella y yo.

Nada se altera.

No concedo importancia a las preocupaciones insignificantes porque nos falta tiempo. Todo puede acabar de golpe.

Esta precariedad hace que estemos muy pendientes el uno del otro. Ella se preocupa por mí y yo me preocupo por ella. Sabemos que podemos herirnos mutuamente y somos más tiernos.

Compartimos un secreto y lo guardamos como si fuera un tesoro.

«¿Y si la besara?»

Todo empezó con esta pregunta inocente que ni siquiera es una pregunta, en el vuelo de Air France París-Marsella de las ocho y cuarto de la noche.

Yo tenía las piernas estiradas en el pasillo y durante el vuelo la azafata tropezó varias veces con mis pies.

Era la semana de mi primera cita con Alix. El viernes por la noche había pocos pasajeros en el avión. Por una vez, y por respeto a la azafata, estuve atento a las instrucciones de seguridad. Debe de ser desagradable hacer esos gestos sin que nadie preste la menor atención, como los pianistas a quienes nadie escucha en los bares de los grandes hoteles.

Esa jovencita con la que había almorzado me inspiraba deseos de ser amable.

Contemplaba a la azafata, con su moño impecable, respirando en la mascarilla de oxígeno, sin escuchar realmente el protocolo que hay que seguir en caso de despresurización de la cabina.

Era bonita, esa chica.

Sabía que estaba soltera y que volvería a verla el siguiente jueves.

¿Y después qué?

La había conocido hacía siete años, en la boda de mi socio, pero no lo recordaba muy bien, y ella, en absoluto. Era una boda con mucha gente.

Yo debía de ser el único que no se había dado cuenta de que el vestido de la cuñada del novio era transparente, y ese detalle me parece cómico.

¿Qué edad tenía ella entonces? ¿Veintitrés años? ¿Veinticuatro?

En el extremo de la pista, el avión aceleró y, pese a estar acostumbrado, en el momento de despegar mi corazón latió más aprisa.

«¿Y si la besara?»

La idea del beso arrastró otra consigo, que a su vez arrastró otra.

El avión despegó.

Al principio, cuando llamaba a Alix, marcaba su número muy deprisa para no sentir tentaciones de cambiar de opinión. Le enviaba mails sin releerlos para asegurarme de que salían. Subía los peldaños de su edificio de cuatro en cuatro.

No he hablado de Alix con nadie porque quería guardarme todos los detalles para mí y para no responder a preguntas para las que no tenía respuesta. Probablemente me equivoco con respecto a la reacción de mis amigos. Quizá no habrían hecho preguntas. Sin duda, alguno de ellos me habría confesado que él pasó por lo mismo.

Alix no me rejuvenece, me ofrece una segunda oportunidad en el momento en que las perspectivas se reducen. Aparento mucha menos edad. Salvo para leer de cerca, los años no me pesan, de momento.

La única cuestión que me planteo es: «¿Qué es lo que ya no puedo hacer?»

A los veinte años supe que no participaría en el Roland Garros. A los treinta comprendí que ya no ingresaría en la Escuela Nacional de Administración. Desde que cumplí los cuarenta me parece arriesgado cambiar de carrera.

Puedo dejar a mi mujer y rehacer mi vida con otra mujer. Puedo incluso tener uno o dos hijos. Otros lo han hecho a mi edad.

Es emocionante decirse: «¡Es posible!»

Cuando era más joven, cada vez que me enamoraba, es decir, a menudo, silbaba.

Con Alix, canto.

En la ducha y en la oficina. Al caminar. No hay la menor premeditación en la elección de las canciones. Canto lo que me viene a la cabeza, tanto un antiguo éxito o una horterada como una canción oída el día anterior. De repente, escucho las letras y me maravilla hasta qué punto me conciernen.

Eso no es tan excepcional, la mayoría de las canciones hablan de amor.

Desde que estoy con Alix, veo señales por todas partes. Leo unas palabras por otras en los carteles de las marquesinas del autobús y en los periódicos. Leí «vacaciones ilegítimas» en vez de «vacaciones ilimitadas». Leí «desgarrado» en vez de «deseado», y «encadenado» en vez de «entrenado».

Escuchando una entrevista a Jean-Louis Trintignant en la radio, tuve la impresión de que se dirigía a mí cuando hablaba de asumir riesgos. «A veces sabemos que vamos a complicarnos la vida, pero hay que hacerlo de todos modos, no es para tanto.»

Sí, Jean-Louis Trintignant tiene razón. Alix y yo, a fin de cuentas, no es para tanto.

Soy recto y honesto. Mis amigos dicen que soy leal. Saben que pueden contar conmigo.

Inspiro confianza y lo sé.

Suscito confidencias.

Las mujeres me preguntan una dirección en la calle, incluso bien entrada la noche. No dudan en subirse a los ascensores del parking conmigo.

Desde hace un año llevo una doble vida.

Me he deslizado en esta situación sin oponer resistencia.

Paso la semana con Alix en París y me reúno con mi mujer y mi hija el fin de semana en Marsella. Sin buscarme excusas, consigo apañármelas con esta verdad.

Cuando soy feliz, no me atrevo a moverme. Me parezco al perro de mi abuela, que se convertía en estatua cuando lo lamía el gato.

. . .

¿Qué estoy esperando?
   ¿Que alguien decida por mí?
   ¿Un drama?

Estaba marcando los últimos dígitos del número de Alix cuando mi mujer ha abierto bruscamente la puerta de mi despacho.

Se ha sobresaltado al verme sentado e inmóvil.

«No sabía que aún estabas aquí», ha dicho en el tono de quien pide disculpas.

Y ha añadido: «Es la hora.»

Cada vez que me cruzo con la mirada azul y franca de mi mujer, me dan ganas de abrir los brazos.

«Ya voy —le he contestado sin levantarme, mostrándole el teléfono en la mano derecha—. Dame dos minutos.»

Mi mujer ha vuelto a cerrar la puerta con tanta suavidad que no he oído el ruido del pomo al girar.

Sus pies obstruyen el hilo de luz de debajo de la puerta. Espero a que se aleje por el pasillo para pulsar la tecla «Llamada», pero mi mujer no se mueve.

Quizá aún tiene la mano apoyada en el pomo. Titubea conteniendo la respiración. ¿En qué estará pensando?

Mi mujer no es la clase de persona que escucha tras las puertas.

Querría que volviese al despacho para decirme lo que tengo que hacer.

Querría levantarme y alcanzarla en el pasillo para tenderle nuestro matrimonio como la entrega de un testigo en una carrera de relevos.

La pantalla de mi teléfono se ha apagado.

¿Podría a lo mejor llamar a Alix desde el aeropuerto?

Entre la facturación y el embarque tengo tiempo de sobra, el avión despega a las tres de la tarde. En la zona internacional será fácil aislarme mientras mi mujer y mi hija recorren las tiendas libres de impuestos.

Apoyado contra una cristalera, hablaré con Alix contemplando el vals de los aviones en la pista. Le diré «Estoy en el aeropuerto» y oirá de fondo los anuncios de vuelos con destino a países lejanos.

Reconozco los pesados pasos de mi padre, que baja por la escalera. Las maletas ruedan por las baldosas de la planta baja.

El hilo de luz de debajo de la puerta es limpio y continuo, los pies de mi mujer han desaparecido.

La oigo abajo, pide ayuda a mi hija. Seguramente el taxi ya ha llegado.

• • •

«Papááá.»

Mi mujer debe de haberle pedido que suba a buscarme, pero mi hija prefiere llamarme a gritos por la casa. Arrastra el segundo «pa» de «Papá» como en un ejercicio de vocalización.

Con mi abrigo en los brazos, debe de esperarme al pie de la escalera. Mi hija nunca ha ido a Nueva York.

Es demasiado tarde para llamar a Alix ahora.

Me levanto.

Las cuatro patas de mi silla se arrastran por el suelo de piedra y chirrían.

Estábamos a principios del mes de enero y hacía muy buen tiempo. El aire seco y frío anunciaba la llegada del año como una buena noticia.

Ese día, la luz cumplió todas sus promesas.

Habíamos quedado en la terraza de un café del distrito noveno, a última hora de la mañana.

Siento nostalgia de esas citas.

Todas mis intuiciones se revelaban certeras, todo lo que descubría en Alix era aún mejor de lo que había imaginado y me daba ganas de conocerla más.

Alix despertaba en mí una mezcla de audacia y timidez.

Tenía muchas ganas de hacer el amor con ella y ese deseo no convivía aún con la culpabilidad.

Adivinaba la turbación de Alix tanto como la ponía en duda, y esa incertidumbre hacía que mi vida fuera trepidante.

El cielo estaba despejado.

• • •

Había escogido un sitio en el extremo de la terraza, lejos de las estufas, porque en presencia de Alix tengo calor, como en las salas de espera en invierno.

Al verla llegar con su chaquetón un poco demasiado grande, el cuello levantado y el bolso en bandolera, me quité la bufanda —una bufanda de lana azul— y la dejé sobre la silla de enfrente. Para saludarla, me levanté y le di un beso.

Alix se sentó a mi izquierda.

Enseguida cogimos esta costumbre de sentarnos el uno al lado del otro.

Nuestros hombros se rozaban al ritmo de la conversación y tuve que llevar a cabo un esfuerzo considerable para no ponerle la mano en la rodilla, que el dobladillo de la falda y la parte de arriba de su bota dejaban al descubierto bajo la malla de sus medias negras.

Me resulta difícil seguir una conversación con alguien en una terraza porque me dejo distraer por los transeúntes.

Con Alix, el camarero era un intruso.

Los temas se encadenaban como si nuestra charla estuviera escrita y los silencios también. Naturalmente, el tiempo pasaba demasiado deprisa.

Al cabo de una hora, por culpa del té y de la excitación, tuve que ir al baño.

Orinar se me hizo más interminable aún por la prisa que tenía de volver con Alix, no sabía a qué hora debía marcharse.

• • •

Alix estaba sentada en el mismo sitio, no iba a desaparecer.

Yo aún estaba de pie cuando me preguntó si quería tomar algo más y, como no quería que esa cita tocara a su fin, pedí otro té.

Volví a sentarme a su lado después de hacer el pedido en la barra y me percaté de que ella tenía algo en la ceja izquierda. Primero pensé en un pelo de gato, pero era azul.

Entonces, en la silla de enfrente de Alix, colocada sobre el respaldo, vi mi bufanda de lana, azul.

Ese hilo, que había quedado enganchado en su ceja, era la más bella de las confesiones.

Me incliné hacia ella un poco más de lo necesario, quizá pensó que iba a besarla por primera vez. Tendí la mano hacia su rostro como si fuera a acariciárselo y, delicadamente, le quité el hilo de la ceja.

Al ver lo que era, Alix sonrió.

Estaba lo bastante cerca para percibir su aliento cálido en mi cara, y ella, imagino, el mío.

Sostenía el hilo azul entre los dos, como se coge una pestaña, con la punta del pulgar y del índice, justo antes de soplar tras pedir un deseo.

Agradezco a mis dos hermanas mayores, Tania y Audrey, su apoyo incondicional.

Gracias, Ka, mi compañera de escritura.
Agradezco a Inès de La Bévière su confianza.
Gracias a François Kenesi por sus valiosos consejos.
Doy las gracias a Lucie Truffaut.
Gracias a Éric Pellerin por haberme acogido en Vauville para que escribiera.

Mi agradecimiento especial a Julien Rappeneau.